FLOYD McCLUNG, JR.

Padre, Que Seamos Uno

EDITORIAL BETANIA

© 1993 Editorial Betania, Inc.
9200 S. Dadeland Blvd., Suite 209
Miami, FL 33156

ISBN 0-88113-109-1

Título original en inglés: *Father Make Us One*
©Floyd McClung, Jr. 1989

Traductora: *Cecilia Romanenghi de De Francesco*

Impreso en EE.UU.
Printed in United States

Queridos
Santiago y Carmen,
con cariño y sincero
amistad les presento
este librito. Que os
sea de aliento y
bendición.

Sois super papás!
Gracias!
Alfonso Chávere
Sep / 94

Desearía expresar mi gratitud a
Geoff y Janet Benge
por su inspiración y ayuda,
y a muchos amigos y colaboradores
que todavía siguen ayudándome
a aprender las lecciones
que escribo en este libro.

Por último, deseo agradecer a
Sally, Misha y Matthew
por ser la mejor familia
que un hombre podría pedir.

Tabla de Contenido

Cuando una palabra pierde su verdadero significado

«Es un gran amante».

«Te amo».

«Amo el fútbol».

«Amo la ropa nueva».

¿Qué se puede hacer cuando una palabra pierde su significado?

Es triste que la palabra que expresa la belleza y la riqueza más grande que podamos conocer esté tan trillada por el mal uso.

Los predicadores predican acerca del amor y los novelistas escriben acerca del amor. Los cantantes exaltan sus virtudes y los poetas celebran sus alegrías y pesares. Es una palabra que se puede utilizar para expresar cualquier cosa desde el cine hasta el cielo.

Cuando les pedí a mis hijos que me ayudaran a encontrar el título adecuado para este libro, uno de ellos sugirió: *No un libro más de amor meloso.*

Sin embargo, parece que existe un área en la vida cristiana en la cual el amor no ha perdido su significado; se refiere al amor que debemos prodigar a aquellas personas que no nos gustan.

Cuando debemos enfrentar cara a cara a la dura

realidad, especialmente aquella que es dolorosa, no podemos dejar de convencernos acerca de la importancia del amor.

Captamos el verdadero significado del amor cuando se nos requiere que amemos a alguien que nos ha lastimado o maltratado. Probablemente una de nuestras mayores necesidades sea encontrar una motivación para amar a tales personas, o si nos hemos dado por vencidos, debido a los reiterados fracasos, probablemente necesitemos algo de ayuda práctica.

Ese es el tema de este libro. La Biblia lo llama unidad; yo lo llamo «amor en acción». Las Escrituras nos enseñan que no podemos vivir la vida cristiana con integridad a menos que amemos a las personas con las cuales resulta imposible llevarse bien.

El desafío es amar y seguir amando, aunque sea difícil.

¿Estás listo?

Capítulo 1

El poder del amor

En 1980, nuestra familia se trasladó al Distrito de las Luces Rojas de la ciudad de Amsterdam. Aunque actualmente este entorno nos resulta bastante «normal», en aquel entonces fue una decisión muy seria. Alquilamos un estrecho departamento que se encontraba a dos puertas de una iglesia satanista hacia un lado, y a dos puertas de un burdel homosexual hacia el otro. En Holanda, la prostitución es legal, así que cuando nuestros hijos, Matthew y Misha, caminaban hacia la escuela cada día, pasaban junto a las grandes vidrieras adonde se encontraban muchachas con muy pocas ropas, sentadas allí esperando su próximo consumidor.

Cada vez que nuestros hijos pasaban a su lado, las saludaban agitando las manos y además les traían dibujos especiales que les habían hecho en la escuela. Estas mujeres, endurecidas por el pecado, recibieron un toque muy especial. La aceptación sencilla de un niño puede derretir el más duro de los corazones. Más tarde, algunas de estas mujeres se convirtieron, ganadas por el poder de la aceptación del amor.

Algunas de las personas que vinieron a trabajar con nosotros en el Distrito de las Luces Rojas tuvieron bastante dificultad para relacionarse con las prostitutas y los rufianes como seres humanos. Resulta difícil ver más allá del pecado para alcanzar al pecador, pero nosotros descubrimos que aquello que resulta más difícil de hacer es la llave para compartir el Evangelio con nuestros vecinos. Ya que Dios se acercó a nosotros estando en nuestros pecados, con toda seguridad nosotros debemos acercarnos y abrazar a otros con su perfecto amor. Aunque no aceptamos lo que hacen, tratamos de mantener una actitud de aceptación hacia ellos como personas. Sally y yo nos hemos tomado el tiempo necesario para aprender sus nombres, para visitarles o invitarles a nuestro hogar. Hemos descubierto que en la medida en que les aceptamos, ellos nos responden.

Unos seis meses después de habernos trasladado a aquella área, comprendí con mucha mayor claridad la importancia que esta aceptación puede tener para otros. Un grupo de dirigentes de las misiones me preguntaron si podían ver el trabajo que estábamos haciendo allí. Luego de una visita a través de las estrechas callejuelas empedradas, emprendimos el regreso hacia nuestro departamento. Mientras caminábamos de vuelta vinieron a mi mente las dos amigables prostitutas que vivían al lado de mi casa. Pensé que podrían encontrarse afuera en este encantador día de sol. Me sentí un poco incómodo al recordar la manera en la que siempre me saludaban por mi nombre, de una manera muy cálida y amistosa. Esto podría crear una situación bastante embarazosa debido a las pocas ropas que tenían puestas.

Al doblar en la esquina, ¡allí estaban! No me animé a mirar a mis conservadores amigos misioneros cuando las dos muchachas me saludaron alegremente gritando mi nombre. Una pared de silencio se levantó detrás de mí. Recién después de varios meses pude saber lo que ellos habían pensado de aquel incidente.

Me encontraba en los Estados Unidos hablando en una conferencia acerca de las misiones cuando uno de los miembros de aquel grupo se acercó hacia mí. Me preguntó si recordaba el paseo que habíamos dado por mi «vecindario», y cuando le dije que no lo recordaba, ante mi sorpresa, sus ojos se llenaron de lágrimas.

«Cuando nos llevó a caminar por el Distrito de las Luces Rojas lo único que pude ver era una masa de prostitutas, rufianes y drogadictos. Pero cuando usted saludó a aquellas dos muchachas que vivían al lado de su casa, me sentí profundamente conmovido. Las llamó por sus nombres, todavía puedo recordarlos: Sonja y Else. Fue entonces cuando pude verlas como algo más que prostitutas, pude verlas como personas».

Me sentí profundamente conmovido. En aquel mismo momento, Dios subrayó la importancia de aceptar a los demás tal como son, sin importar el pecado en el cual estén involucrados.

El amor que es capaz de aceptar

Dios ama a las personas, no a los programas o a los buenos propósitos. El murió por las personas y no por el evangelismo mundial. En la carta a los Romanos, Pablo lo dice así: «Mas Dios muestra su amor para con nosotros, en que siendo aún pecadores, Cristo murió por nosotros» (Romanos 5.8). Si un Dios santo y puro pudo amarnos cuando nos encontrábamos sumergidos en nuestros pecados, entonces con seguridad podemos pedirle que nos dé el poder para alcanzar a otros pecadores con su amor. Probablemente tendremos el gozo de guiarles a una relación con Dios. Nuestra aceptación bien puede ser la llave que les conduzca a la salvación.

Dios nos demostró que nos aceptaba, amándonos a pesar de nuestra rebelión hacia él. El amor que puede aceptar es lo que nos motiva a arrepentirnos de nuestros caminos egoístas para volver a él. Y es este amor capaz de aceptar el que nos asegura que él nos comprende cuando caemos.

El amor que puede confiar

Todos aquellos que han aceptado el perdón de Dios a través de Jesucristo forman parte de una comunidad mundial, una hermandad de pecadores perdonados, que han recibido el mandato de comunicar el amor de Dios a otros. El nos ha escogido para comunicar su amor, su misericordia, su esperanza y su perdón. En esencia, nos convertimos en la manera en la que Dios puede decirle «te amo» a un mundo herido y moribundo. Esta es una tarea que nos mantendrá ocupados durante toda nuestra vida.

Es asombroso que Dios, el creador del universo, nos haya escogido para confiarnos el mensaje de salvación. La última frase de Jesús que registra el evangelio de Mateo, incluye esta comisión: «Por tanto, id, y haced discípulos a todas las naciones, bautizándolos en el nombre del Padre, y del Hijo, y del Espíritu Santo, enseñándoles que guarden todas las cosas que os he mandado» (Mateo 28.19, 20a).

A pesar de nuestros fracasos y de nuestras debilidades, Dios nos ha dado la tarea más importante del universo: proclamar su salvación al mundo. Pero ¿somos siempre dignos de esta confianza? ¿Cuántas veces le hemos fallado? Sin embargo, él sigue confiando y creyendo en nosotros. Con cuánta más razón, entonces, nosotros debemos confiar en los demás.

Me encontré frente a este desafío cuando conocí a un joven llamado David. Entonces era una muchacho desalentado y derrotado, y no parecía tener un rumbo definido en la vida. Algunas personas pensaron que sería tonto dedicarle tiempo, pero esto lo pensaban porque no podían ver su potencial. En un principio, yo tampoco lo vi, pero al pensar en aquellos que habían estado a mi lado cuando yo necesitaba desesperadamente a alguien que creyera en mí, sentía que debía ayudar a David.

David comenzó a demostrar su preocupación por los jóvenes perdidos y solitarios de Amsterdam, entonces pude ver el indicio de un hombre que se preocupaba por los demás, que tenía condiciones para el liderazgo y que anhelaba que alguien creyera en él. Con confianza y aliento, David se convirtió en un líder sobresaliente. Dios ha bendecido su ministerio con los jóvenes de Amsterdam. Cada semana, cientos de jóvenes vienen a sus estudios bíblicos y en ellos encuentran a Cristo.

David tenía muchas asperezas que limar, y todavía le quedan algunas, pero se ha convertido en un poderoso evangelista que alcanza a los jóvenes con el evangelio. ¿Adónde estaríamos ahora si nuestros hermanos y hermanas en Cristo no hubieran permanecido a nuestro lado cuando los necesitábamos? Confianza, eso era lo que David necesitaba, y eso es lo que todos necesitamos. El podría haber abusado de esa confianza (algunas veces las personas lo hacen) pero por cierto valía la pena correr el riesgo.

Como cristianos se nos pide que creamos en el otro (1 Corintios 13.7). El amor que confía en los demás tiene el poder de hacer que la persona crea en sí misma. Tiene la capacidad de liberar nuestro verdadero potencial y transformarnos de rotundos fracasos en personas que aspiren grandes cosas. Crea una atmósfera que libera la creatividad y estimula la imaginación. La confianza nos motiva mucho más que cualquier programa o conjunto de normas para trabajar mucho más arduamente. La verdadera confianza nos libera de estar buscando la aceptación, ya que hemos sido aceptados. Produce gratitud hacia aquellos que creyeron en nosotros y gana la lealtad de corazón para toda la vida.

Generalmente nos resulta difícil darle a otra persona una nueva oportunidad renovando nuestra confianza y fe en ella pero no nos olvidemos que Dios nos ha confiado el mensaje del Evangelio. Yo le he fallado muchas veces, pero Dios ha estado dispuesto una y otra vez a levantarme y darme otra oportunidad. Nosotros debemos hacer lo mismo los unos para con los otros. La confianza es la llave que puede quitar el cerrojo y liberar todo el potencial de una persona.

El poder del amor sanador

En Isaías 53.4-5, el profeta habla de la muerte de Cristo diciendo: «Ciertamente llevó él nuestras enfermedades, y sufrió nuestros dolores... y por su llaga fuimos nosotros curados». En su muerte, Cristo no sólo nos otorgó el perdón de nuestros pecados, sino que también hizo posible que seamos sanos en mente y cuerpo.

Bob llegó a nosotros siendo un completo fracaso. Su matrimonio, luego de catorce años, estaba al borde del colapso, y el negocio familiar estaba cerca de la bancarrota.

Entre otras cosas, confesó numerosas relaciones adúlteras que le habían dejado destruido y con serios complejos de culpa. Al darse cuenta de la gravedad de su situación, se entregó a Cristo, se arrepintió de sus años de infidelidad y renovó los votos de fidelidad hacia su esposa. Pero aún así, él necesitaba la sanidad de las heridas que habían dejado los pasados años de infidelidad sobre sus emociones. El pecado le había costado caro y la inseguridad y la culpa afectaban seriamente su mente. El trataba de controlar la mentira, pero todos aquellos años de encubrir el pecado habían hecho que para él la mentira fuera algo más natural que decir la verdad. Se sentía frustrado por su incapacidad para cambiar. Bob necesitaba lo que el apóstol Pablo llama «la renovación del entendimiento» (Romanos 12.2).

El pecado, ya sea propio o de otro, puede dejar cicatrices en las emociones. Pero el amor sanador de Dios puede renovar y restaurar nuestros recuerdos distorsionados y nuestras devastadas emociones de tal manera que ya no tendremos que reprimir nuestros sentimientos de fracaso o vivir con ellos por el resto de nuestras vidas. Dios puede perdonarnos y puede reconstruir totalmente nuestras emociones.

Piensa en el daño emocional que ha sufrido una niña cuyo padre la ha molestado desde temprana edad. ¿Acaso ella tiene que vivir prisionera de estas heridas sicológicas durante el resto de su vida? No. El amor sanador de Dios puede alcanzar los recuerdos ocultos de esta niña sanándola completamente.

Todos nosotros, en determinado momento, necesitamos experimentar el bálsamo sanador del amor de Dios. A lo largo de la vida, las personas nos hieren a través de comentarios ligeros, del rechazo de nuestro trabajo o ideas y de otras maneras que dejan sus marcas en nuestras emociones. Pero no estamos abandonados a nuestro propio destino, sin esperanza. Dios entra en cada situación individual con su poder sanador y nos proporciona un nuevo comienzo.

El es el gran Creador y también es el gran Regenerador. El crea nuevos comienzos para cada uno de nosotros. Traza una línea detrás de nosotros y perdona todo nuestro pasado. Sana las heridas que hemos acumulado a lo largo del camino y nos permite comenzar en un nuevo camino.

El amor de Dios es el poder más grande que existe en la tierra hoy en día.

El amor de Dios trae esperanza a una nación desesperada, une a los más amargos enemigos, restaura las amistades deshechas, une a las iglesias divididas, renueva a los cristianos fríos y nos da a todos nosotros una razón para vivir.

El amor de Dios puede conquistar el corazón del más duro criminal, puede cambiar el estilo de vida egoísta de un buscador de placeres, puede liberar al más ardiente terrorista y puede sanar las heridas de un niño que ha sufrido el abuso sexual. El amor de Dios es el poder que puede marcar la diferencia.

El acto más grande de amor en toda la historia humana tuvo lugar cuando Dios envió a su Hijo, Jesús, para morir en la cruz sufriendo el castigo que nos correspondía:

> En esto se mostró el amor de Dios
> para con nosotros, en que Dios envió
> a su Hijo unigénito al mundo, para
> que vivamos por él. En esto consiste
> el amor: no en que nosotros hayamos
> amado a Dios, sino en que él nos amó
> a nosotros, y envió a su Hijo en
> propiciación por nuestros pecados.
> (1 Juan 4.9-10).

Una vez que hemos sentido el poder del amor de Dios (la manera en la que nos acepta como sus hijos, cómo nos confía el mensaje más precioso que existe en el mundo, y nos sana de los desagradables efectos del pecado) nunca volveremos a ser los mismos. Desearemos brindarnos a otros de tal manera que podamos acercarlos a ese amor.

Capítulo 2

El amor es lo que tenemos en común

Me incliné hacia adelante, acomodándome en el banco y eché una mirada alrededor de la habitación. El coronel McTagget, el agregado militar americano, acababa de llegar, cerrando fuertemente la puerta a sus espaldas, dejando atrás el helado viento afgano. El chasquido de sus botas de cowboy sobre el piso de mármol resonaron por toda la habitación. Sonrió al saludar a alguien, creo que fue a Don Rowley; lo único que podía ver de él era su cabeza calva. Sí, debía ser Don; junto a él había tres muchachitos sucios de lodo que parecían estar medio muertos de hambre. ¿Quién hubiera pensado que este hombre gordinflón, de baja estatura, llevaría a los jovencitos que vagan por las calles a su casa para darles de comer y para alimentarles? Paul Filidis estaba sentado justo frente a mí, decorado para estar en la iglesia con anillos de plata y turquesa, con brazaletes y collares. Tenía la cabeza inclinada en señal de oración mientras un aro solitario pendía de una de sus orejas. A su lado se encontraba Peter Fitzgerald. ¡Querido Peter! Tenía puntos de vista políticos muy radicales con respecto a la preocupación por los pobres. Las ideas del coronel y las de él eran tan opuestas como puede diferirse en las arenas políticas.

La atmósfera estaba cargada de entusiasmo mientras esperábamos que comenzara el servicio.

Se podía contar una historia acerca de cada una de las personas que se encontraban en aquella habitación, la historia de cómo fue que llegamos a estar todos sentados hombro a hombro en aquella iglesia de un barrio residencial de Kabul, Afganistán. Aquí estábamos, representando a veintidós nacionalidades diferentes, desde paquistaníes hasta británicos y americanos, representantes de todos los ángulos del espectro social, político y teológico. Cualquiera que veía la escena desde afuera, y no veía las Biblias que se encontraban debajo de los brazos, o asomando de los portafolios o de las bolsas del ejército, podía preguntarse qué era lo que teníamos en común. ¿Cuál era la razón para que este grupo se juntara en una mañana tan fría y ventosa?

¡Qué iglesia tan hermosa e inolvidable fue aquella! Aprendimos a dejar a un lado las diferencias para disfrutar de la hermosa y refrescante atmósfera de unidad espiritual. Llevó tiempo desarrollar y hacer crecer esta unidad. Tuvimos que aprender a amarnos y aceptarnos los unos al otros, y eso no fue fácil. Cuando comenzamos, se produjeron algunos momentos explosivos. Las personas trataban de seleccionar a quién se iba a sentar a su lado, con quién iba a orar o a quién iba a invitar a comer. Era fácil hacer a un lado a aquellos que simplemente no deseábamos conocer. Pero con el tiempo, nuestro deseo de comunión nos llevó a reconocer que éramos uno en Cristo; todos éramos hermanos y hermanas de una misma familia.

Lentamente, las actitudes frías fueron desapareciendo, en la medida en que nos relacionábamos de una manera diferente. En un principio, esto fue difícil. Se requería apertura, honestidad, humildad y la determinación de cada uno de nosotros de llegar a gozar de esta comunión. Sin embargo, había algo que ninguno de nosotros se lamentaba de hacer. Habíamos comenzado a relacionarnos unos con otros sobre la base de quiénes éramos en Cristo, y no sobre la base de nuestras diferencias. Todavía teníamos nuestras opiniones, pero estas ya no eran la base sobre la cual evaluábamos y juzgábamos a los demás.

Cuando nos encontramos con cristianos que tienen un punto de vista diferente al de nosotros en una vasta gama de temas (desde el desarme nuclear al bautismo en el Espíritu Santo o la segunda venida de Cristo), estamos frente a una maravillosa oportunidad de revisar nuestras verdaderas motivaciones y deseos del corazón. Si por ejemplo, las opiniones personales acerca de la música, de la vestimenta o de la política nos impiden relacionarnos con un hermano cristiano, entonces nos veremos obligados a llegar a la conclusión de que nuestras opiniones son más importantes que nuestra comunión con otro hermano en Cristo.

Tristemente, en todo el mundo hoy en día, muchos cristianos se han cerrado tanto en sus propias opiniones que han rehusado la unidad que se encuentra en la cruz de Cristo, con toda la sanidad y aceptación que eso trae. Podemos oír hablar de un grupo cristiano que critica al otro por ser muy sectario. ¿Pero acaso este grupo no se da cuenta que al criticar están participando del mismo espíritu sectario al rechazar a aquellos que ven las cosas de otra manera? No está mal tener diferentes opiniones acerca de un tema, lo que sí está mal es permitir que esas opiniones nos dividan.

En el mundo occidental, adonde tantas iglesias se han dividido por asuntos de poca importancia, haríamos bien en preguntarnos cómo nos hubiéramos arreglado en un país en el cual la iglesia se encuentra bajo persecución. ¿Cómo trataríamos las diferencias si no existiera la opción de dividirnos y formar una nueva denominación? En la Unión Soviética no existen carteles como el que se encuentra frente a una iglesia que cita Chuck Swindoll: «La Iglesia Original de Dios. Número Uno». Como dice Chuck, «¡No sé si Dios se reirá o llorará!»[1]

Los asuntos acerca de la doctrina son importantes, pero nunca tan importantes como para que nos rehusemos a tener comunión con otros cristianos, a menos que descaradamente nieguen algunos de los pilares esenciales de la fe cristiana.

La mayoría de los cristianos deberían estar de acuerdo en decir: «En las cosas esenciales que haya unidad, en las no esenciales que haya libertad, y en todas las cosas, que haya caridad».

La unidad cristiana se construye sobre el fundamento de la comunión con otros pecadores que han sido perdonados. Para la unidad doctrinal, no se requiere otra cosa que acuerdo sobre las cosas esenciales. La pregunta que surge es: «¿Cuáles son estas cosas esenciales?»

En 1 Corintios 15.1-5, Pablo menciona estos puntos doctrinales que él considera de primera importancia, o esenciales, en la fe cristiana.

- Cristo murió por nuestros pecados.
- El es el Cristo del Antiguo Testamento, lo cual significa que él es el Hijo de Dios.
- Resucitó al tercer día y se le apareció a los discípulos.

Hay muchas doctrinas importantes que Pablo no incluye en esta lista, y algunas «anti-doctrinas» importantes o herejías que tampoco menciona. Su lista de ninguna manera está completa, pero es suficiente para tener unidad bíblica.

La imitacion de la unidad

Cuando intentamos crear el amor cristiano y la unidad, en definitiva lo destruimos. La verdadera unidad viene como resultado de la obra de Cristo en la cruz y en nuestros corazones. Cuando aceptamos su amor y perdón a través de la cruz, nos convertimos en hermanos y hermanas de todos aquellos que han hecho lo mismo.

Sin embargo, no todos están dispuestos a aceptar esta clase de unidad. En cambio, intentan crearla de manera humana, a través de sus propios esfuerzos. Existen dos maneras mediante las cuales los cristianos intentan «crear unidad».

1. El legalismo

La unidad nunca debe confundirse con la uniformidad. Esto último sucede cuando las enseñanzas que se encuentran en la Palabra de Dios están relacionadas a una cultura en particular o a una circunstancia específica, y sin embargo se tratan de aplicar a todos los hombres de todas las edades. También sucede cuando se aplica la verdad de una manera dura y carente de amor. Lo que aquí se obtiene no es justicia sino legalismo.

El legalismo es el énfasis que se pone en la letra de una verdad en lugar de ponerlo en los principios que subrayan esa verdad. Existen muchas formas de legalismo que van desde las reglas de la doctrina hasta el gobierno de la iglesia y las conductas morales para regular la música, la vestimenta e inclusive la comida. Aunque es correcto que tengamos nuestras convicciones personales en distintas áreas, no es correcto que insistamos en estar de acuerdo en ellas como la base para la comunión y la aceptación amorosa. Esto no solamente niega la gracia de Dios como único medio de salvación, sino que también crea nuestras propias reglas de santidad y espiritualidad. Nos convertimos en los fariseos de los tiempos de Jesús, que estaban tan preocupados con su propia interpretación de la ley, que no pudieron ver al Mesías, e hicieron que otros tampoco lo vieran. El legalismo hace que nos volvamos duros y críticos, especialmente si aplicamos las leyes morales de Dios de una manera áspera y carente de amor, a aquellas áreas débiles de las personas.

No necesariamente está mal que tengamos reglas que gobiernen varias áreas de nuestras vidas. Pero lo que sucede muy a menudo es que cuantas más reglas tenemos, más libres nos sentimos para atacar y destruir la comunión con aquellos que no las guardan.

Muchas sectas intentan encontrar la unidad estableciendo una lista de reglas y doctrinas, demandando que se les respete sin el menor cuestionamiento. Pero esto no es unidad bíblica, es uniformidad. Por cierto, esto destruye la verdadera unidad que viene solamente a través de la obra del Espíritu Santo en la cruz. La verdadera unidad no se basa en un acuerdo con respecto a la doctrina, o en vestirse o comportarse de una determinada manera, como cientos de marionetas marchando dirigidas por un dictador espiritual autoelegido. En realidad, Jesús les dejó a sus discípulos unas pocas reglas a seguir. Lo que él deseaba era la obediencia del corazón. Obviamente, afirmó los aspectos morales de la ley, pero la aplicación legalista de la ley le producía más enojo que cualquier otro pecado con el que se confrontara.

La verdadera unidad depende de la obra del Espíritu en nuestros corazones. Es el resultado de edificar nuestras vidas sobre las cosas esenciales de la fe (mencionadas anteriormente) y de tener una actitud correcta hacia otros en el cuerpo de Cristo.

La unidad espiritual que describe el capítulo 17 de Juan, solamente puede venir cuando existe libertad para la diversidad. Si todavía no somos lo suficientemente maduros como para estar en desacuerdo los unos con los otros y sin embargo seguir amándonos sin sospechas ni desconfianzas, es que no tenemos una doctrina sólida. La doctrina sólida puede excluir muchas cosas, pero siempre incluye el amor del corazón hacia nuestros hermanos y hermanas en Cristo. El concepto de que la doctrina sólida se relaciona con nuestro carácter puede ser algo nuevo para algunos, pero un cuidadoso estudio de las cartas de Pablo a Timoteo nos ayudará a clarificar esto. Fíjate especialmente en 1 Timoteo 1.8-11; 4.11-16; 6.3-10 y 2 Timoteo 3.12-14.

2. Liberalismo

La segunda manera en la que tratamos de crear la unidad es negando las verdades absolutas de la Palabra de Dios. Si el legalismo hace que las enseñanzas *relativas* de la Palabra de Dios sean *absolutas,* el liberalismo hace que las verdades absolutas de su Palabra sean relativas. Esto está motivado por el temor a que cualquier doctrina o enseñanza que tienda a ser exclusiva pueda ofender o separar a aquellos a quienes deseamos incluir en la lista de «hermanos».

Sin embargo, existen algunas verdades en la Palabra de Dios que son absolutamente ciertas para todos los hombres de todos los tiempos. Estas incluyen la deidad de Cristo, la salvación a través de la fe en su muerte en la cruz, y la creencia en la resurrección corporal de Cristo. En su deseo por hermanar a todos los hombres, algunos niegan el carácter categórico de algunas de las enseñanzas de la palabra de Dios. Por ejemplo, pueden enseñar que todos los hombres son hijos de Dios, ya sean budistas, musulmanes o agnósticos. Directa o indirectamente niegan que el único camino al Padre es a través de Jesucristo. Sin embargo, las Escrituras dicen muy claramente que la salvación y la vida eterna vienen solamente a través de la fe en nuestro Señor Jesús y de la confesión de nuestros pecados (Juan 14.6; 17.1-3; Hechos 4.12).

Algunos comprometen las verdades fundamentales de la cristiandad para tolerar y aceptar a todas las religiones. Pero al hacer esto se vuelven intolerantes con aquellos que predican la cruz como provisión de Dios para la salvación de toda la humanidad. Otros comprometen ciertos aspectos de las enseñanzas morales de la Biblia, como, por ejemplo, la práctica del sexo únicamente dentro del matrimonio. Esto se hace muchas veces para ser más «amorosos» con los jóvenes o con aquellos que se encuentran involucrados en la homosexualidad. Cuando comprometemos los principios de Dios, realmente carecemos de amor. La única manera de amar verdaderamente a alguien en estas situaciones es ayudarles a ver y a vencer el pecado que está atando sus personalidades y distorsionando sus relaciones.

Cualquiera que se involucra sexualmente fuera del matrimonio saldrá lastimado. Dios nos creó para que nos entreguemos sexualmente en el matrimonio a un compañero del sexo opuesto para toda la vida. Cuando violamos las reglas bajo las cuales Dios quiere que vivamos no obtenemos libertad, sino esclavitud, y si no le decimos esto a las personas, realmente no las amamos.

A través de los muchos años en que he trabajado con jóvenes en Afganistán y Amsterdam, he tenido muchas oportunidades de hacerme amigo de personas que ignoraban o desobedecían las leyes de Dios con respecto a la pureza sexual. Recuerdo una vez en la que confronté a una pareja joven diciéndoles por qué estaba mal vivir juntos sin estar casados. Hablamos acerca de la confianza, y de cómo esta confianza proviene solamente de un compromiso público de tener una relación exclusiva y para toda la vida. Hablamos del plan de Dios para tener familias felices y seguras y de cómo esto no se puede alcanzar sin este compromiso previo. El lazo que los unía gradualmente se disolvió, en la medida en que honestamente reconocieron lo egoísta y superficial de su relación.

Actualmente ambos son cristianos, están casados felizmente con otras personas y sirven activamente al Señor. Muchas veces me agradecen por haberles ayudado a enfrentar el pecado en sus vidas. Si les hubiera golpeado en la cabeza con la Biblia, esto no hubiera dado resultado, pero al compartir abiertamente con ellos por qué Dios nos pide que estemos comprometidos totalmente con otra persona en matrimonio, sí dio resultado. Con la ayuda de Dios obtuve un equilibrio de ternura y firmeza que les permitió saber que yo estaba profundamente comprometido con ellos y que al mismo tiempo les estaba desafiando en esta área incoherente en sus vidas. Es posible mantener un principio bíblico y ser amoroso al mismo tiempo.

Dios nos dio los diez mandamientos para nuestro bien. Si los desobedecemos, no solamente estamos poniéndonos en contra de un conjunto de leyes morales, sino en contra del mismo carácter de Dios. El nos creó a su imagen para vivir en armonía con su gran carácter. Cuando quebrantamos uno de los diez mandamientos, no solamente estamos quebrantando una de sus leyes, lo cual es suficientemente significativo, sino que también estamos violando el carácter de Dios que se revela en sus leyes morales.

Aunque podemos experimentar un elevado grado de amor y aceptación hacia nuestros semejantes, no podemos compartir la unidad cristiana con una persona a menos que haya reconocido su pecado y su necesidad de perdón a través del Señor Jesucristo.

Tanto el legalismo como el liberalismo destruyen la verdadera unidad cristiana y hacen que nos sea difícil amar verdaderamente a otros creyentes. El primero agrega a lo que Cristo ha hecho, mientras que el segundo le substrae. Si deseamos experimentar la verdadera unidad espiritual, esta debe venir a través del Espíritu Santo y no a través de la carne.

Amando a las personas difíciles

Cuando se trata de esto, necesitamos una buena razón para amar a algunas personas, ¡una muy buena razón! Generalmente resulta más fácil evitarlos. Nunca te has preguntado a ti mismo; «¿Para qué molestarme? Si él sigue su camino y yo el mío, podremos evitar una serie de conflictos innecesarios».

La mayoría de nosotros estamos lo suficientemente ocupados como para hacernos cargo de una carga extra, tratando de solucionar problemas que se podrían evitar simplemente manteniéndonos alejados del camino de ciertas personas. Parecería que es más fácil ingresarlo a la categoría de conflictos de personalidad. De todas maneras, algunas personas son tan raras que nadie podría llevarse bien con ellas, ¿no es cierto?

¡No! En lo profundo de nuestros corazones sabemos qué debemos hacer frente a las relaciones difíciles y debemos trabajar en ellas. Después de todo, si estas «personas difíciles» son cristianos, tendremos que vivir con ellos cuando vayamos al cielo, ¿por qué no comenzar desde ahora?

Permíteme un momento de licencia poética... Imagínate qué situación embarazosa si en el día del juicio final nos hicieran pasar adelante junto con la persona a la cual hemos evitado toda nuestra vida. Frente a todos los que estén reunidos alrededor del trono Jesús pregunta: «¿Por qué no han resuelto su problema? Vayan a aquella habitación que se encuentra a la derecha, y no vuelvan hasta que hayan resuelto este problema de una vez para siempre».

Amar a la gente que no nos gusta es uno de los desafíos más grandes de la vida. Requiere una mayor motivación y ayuda desde fuera de nosotros. Personalmente, la mayor motivación que puedo tener para amar a las personas que no me gustan, es el amor que Dios siente por mí. Cuando nos encontramos luchando en nuestra relación con otra persona, debemos recordar que todos somos pecadores a quienes Dios ha perdonado muchas cosas. Si no podemos perdonar los pecados que otros cometen contra nosotros, entonces probablemente hayamos perdido de vista cuánto se nos ha perdonado.

El orgullo siempre nos hace mirar a los demás por

encima del hombro; nos hace pensar que somos mejores que los demás. En su misma esencia el orgullo es mentiroso. Pero podemos volver a tener una nueva comprensión de Dios y de nuestra condición pecadora y de la necesidad desesperada de humillarnos, volviendo a él en una actitud de debilidad. Unicamente cuando nos encontramos en este estado, que algunos llaman «estar quebrantados», podemos encontrar los recursos para amar a otro ser humano. El amor de los unos para con los otros debe ser la base sobre la cual nos movemos.

El pecado y nuestra necesidad de perdón son los grandes igualadores. Jesús no divide a los pecadores en categorías, los agradables de este lado y los desagradables del otro. El no ha puesto plataformas en la cruz para que algunos de nosotros estemos más cerca de él. Todos nosotros compartimos una característica en común: el pecado. Pecadores bautistas, pecadores episcopales, pecadores reformados, pecadores pentecostales, pecadores católicos, todos juntos estamos parados al pie de la cruz.

Sin embargo, la característica pecadora que tenemos en común no es lo que hace posible que nos amemos los unos a los otros y que disfrutemos de unidad, aunque una pequeña dosis de humildad nunca viene mal. La cruz es lo que nos une. A través de la cruz de Cristo reciben el perdón y la aceptación, y como hemos sido perdonados, podemos perdonar y aceptar a otros.

A pesar de nuestra rebelión contra Dios, El nos ha amado con amor inimaginable. El nos creó. Nosotros nos revelamos en contra de él, pero él respondió enviando a su Hijo para que muriera por nosotros.

Esta profunda verdad me impactó mientras me encontraba visitando a unos amigos de Sud Africa que recientemente habían adoptado gemelos. Les pregunté a Don y a Cecilia qué era lo que habían aprendido al adoptar a estos niños, especialmente porque dos años atrás habían adoptado a una pequeña niña. Nunca olvidaré la respuesta de Don:

«Hemos aprendido que el amor es más fuerte que la sangre».

Como no comprendí muy bien lo que Don había dicho, le pedí que lo explicara. El me contó cómo el Señor le había guiado a estudiar pasajes de las Escrituras en los que se hablaba de la adopción, aunque estos versículos tenían que ver principalmente con el amor de Dios hacia nosotros y no con la adopción de hijos. Al estudiar estos pasajes, Don y Cecilia descubrieron que al no ser hijos «de sangre» de Dios, esto quiere decir que él nos eligió como hijos simplemente porque así lo deseaba. Hemos recibido «todos los derechos de hijos» (Gálatas 4.5). Hemos sido adoptados, elegidos por Dios para que le pertenezcamos.

El simple hecho de que dos personas engendren un hijo, no significa que lo deseen. Un hijo debe desearse con el corazón, se le debe amar y se le debe dar la bienvenida. De la misma manera, necesitamos «adoptarnos» los unos a los otros. Debemos amarnos los unos a los otros, como nuestro Padre Celestial nos ha amado. De esta manera, el amor es más fuerte que la sangre. Podemos sentirnos tan ligados como con nuestros hermanos y hermanas carnales, y en algunos casos mucho más aún.

---

[1] Charles Swindoll, Growing Strong in the Seasons of Life, Multnomah Press, 1983.

Capítulo 3

La unidad: Amor en acción

No hay nada más doloroso que la división de una iglesia. No hay nada que sea más dañino que una congregación que se separa por sospechas, calumnias o por la formación de distintos bandos. Muchos cristianos recuerdan por lo menos una división de este estilo: recuerdo que se extiende aún después de muchos años.

Recuerdo bien a una iglesia que se dividió luego de que el pastor se involucró en relaciones adúlteras con varias de las esposas de los ancianos. Dos de los ancianos se suicidaron, y el caos reinó en toda la iglesia. Los diarios se encargaron de publicar esta historia y durante meses se arrastró el nombre de Cristo en el barro. Las personas que no eran cristianas meneaban la cabeza y juraban no asistir jamás a ninguna iglesia.

En otra iglesia que conocí, la teología fue la principal razón para la división. El punto en discusión tenía tan poca importancia que ni siquiera puedo recordar de qué se trataba. Sin embargo, todavía recuerdo vívidamente la amargura que esto generó.

En Holanda, se formó una denominación como resultado de una discusión acerca del bautismo de los niños. Se creó una gran disputa alrededor de las palabras correctas que se debían emplear al bautizar a los bebés.

Tal vez hayas escuchado el dicho: «Si tienes un creyente, tienes un cristiano, si tienes dos creyentes, tienes una
iglesia, si tienes tres creyentes, tienes dos iglesias». Es
demasiado cierto como para resultar gracioso.

La unidad en todas nuestras relaciones

Si nunca te has visto involucrado en una división semejante, es probable que estés pensando: «¿Qué tiene que ver
conmigo este asunto de la unidad?»

El amor y la unidad forman la base sobre la cual Dios
desea relacionarse con nosotros en cada situación, y su
nombre está en juego cuando hay división en su iglesia. Tú
y yo somos su iglesia. Jesús dice que «donde están dos o
tres congregados en mi nombre, allí estoy yo en medio de
ellos» (Mateo 18.20). Inclusive cuando nos encontramos
fuera del «marco de la iglesia», cuando estamos en nuestro
hogar, con nuestra familia, o con amigos cristianos, seguimos siendo su iglesia. ¿Todas nuestras distintas relaciones
están marcadas por el amor y la unidad, o la división y la
disputa se infiltran en ellas? ¿Amamos y alentamos a
nuestros hijos, o siempre estamos enojados con ellos?
¿Estamos genuinamente preocupados por el bienestar de
otros cristianos en nuestro trabajo, o solamente nos preocupamos por nosotros mismos (salir victoriosos en algún
asunto, ser felices y sentirnos realizados)?

El amor y la unidad deberían estar en el corazón de
toda relación en la que nosotros los cristianos nos veamos
envueltos. La Biblia nos dice que debemos amar a todos los
hombres y vivir en unidad con nuestros hermanos.

Como esposo, debo amar a mi esposa, Sally, y procurar
activamente vivir en unidad con ella. Nosotros somos la
iglesia en nuestro hogar, y Cristo ha prometido morar en
medio de nosotros. La unidad no es algo que viene automá-
ticamente cuando dos personas se casan, se debe procurar.
Sally y yo compartimos la responsabilidad de buscar la
unidad en todas las áreas de nuestro matrimonio.

Cuando recién nos casamos, pensé que sería sencillo. Después de todo, nos conocíamos muy bien. ¡Cuán equivocado estaba! Pronto descubrí que cada uno de nosotros tenía un versión idealizada de lo que el otro realmente era. ¡Yo acepté como esposa a una combinación de Elizabeth Taylor, Madre Teresa y Betty Crocker! Pero para que fuera peor, ella imaginaba que yo tenía lo mejor de ¡John Wayne, Billy Graham y Charles Atlas! No es de sorprenderse, entonces, que nuestros dos primeros años de matrimonio por momentos hayan sido tormentosos, mientras aprendíamos a adaptarnos y a relacionarnos sobre las bases de quiénes éramos en verdad, y no sobre aquellos conceptos idealizados. Una parte del problema fue nuestro orgullo. No deseábamos admitir que nos habíamos casado con alguien que era poco menos que perfecto (aunque para otros esto era obvio).

Como cristianos, muchas veces idealizamos a los otros creyentes de la misma manera, los ponemos sobre pedestales, y entonces cuando ellos no pueden vivir de acuerdo a nuestras expectativas, nos sentimos heridos y amargados. Debemos llegar al punto en el cual, en una actitud de amor, podemos abrazarnos los unos a los otros aun cuando reconozcamos sus faltas. Si nos rehusamos a aceptar a los demás de esta manera, bien podemos llegar a convertirnos en los policías de la iglesia, juzgando y criticando.

En nuestro matrimonio, yo tuve que entender que no podía actuar como el Espíritu Santo, convenciendo a Sally cuándo y dónde yo creía necesario. Eso es tarea de Dios. Dios me ha encargado amar y cuidar a mi esposa, siendo para ella un ejemplo vívido del carácter de Cristo (Efesios 5.25). Nadie me pide que sea su juez. Si existen áreas de debilidad en su vida, debo orar por ella y dejar que Dios traiga la convicción a su corazón, y ella debe hacer lo mismo por mí.

En nuestras relaciones con otros cristianos, muchas veces perdemos de vista este principio. Nos encontramos

muy ocupados tratando de convencer a aquellos con los
cuales disentimos, o con aquellos que tienen una falta muy
evidente que nos parece que necesita corrección. Pero en
lugar de ayudar, traemos desarmonización.

Es esencial que el amor tome el primer lugar en nuestras relaciones. Adonde existen diferencias, debemos acercarnos a nuestro hermano en amor y permitir que el Espíritu Santo haga su obra en nuestras vidas. Después de
todo, él es el único que puede hacerlo con justicia, ya que
conoce los pensamientos y las intenciones del corazón.

Como padre, también debo buscar la unidad con mis
dos hijos. El simple hecho de que sean mis hijos y de que
vivan bajo el mismo techo, no me permite dejar de lado los
principios del amor y la unidad. No puedo gritarles, menos-
preciar sus sentimientos o ideas, o hacer algo que les haga
sentir menos valiosos que yo. Matthew y Misha pueden
pertenecer a una generación diferente a la mía, pero son mi
hermano y mi hermana en Cristo. Un día estaremos como
iguales delante de la presencia de Cristo. Yo debo vivir en
unidad con ellos como hermanos en Cristo. Esto no siempre resulta fácil, pero yo debo dejar de lado mis expectativas y permitirles ser ellos mismos (principio que resulta
cierto en toda relación).

Este concepto del amor y de su relación con la unidad
afecta todas las áreas de la vida cristiana. Sabemos por las
escrituras que Jesús intercede por nosotros (Hebreos 7.25),
pero una sola vez se registra exactamente lo que él ora por
nosotros, su iglesia:

> Mas no ruego solamente por éstos,
> sino también por los que han de creer
> en mí por la palabra de ellos,
> para que todos sean uno; como tú,
> oh Padre, en mí, y yo en ti, que
> también ellos sean uno en nosotros;
> para que el mundo crea que tú me en-
> viaste... para que sean perfectos en
> unidad, para que el mundo conozca

que tú me enviaste, y que los has
amado a ellos como también
a mí me has amado.
(Juan 17.20-21,23).

La división en cualquier parte del cuerpo de Cristo es un escándalo que los incrédulos desean tomar en cuenta como una razón para no tomar en serio el evangelio. Cada vez que participamos en una pelea en la iglesia, o que practicamos la división, que carecemos de amor los unos para con los otros, o que participamos de cualquier manera en acciones y actitudes que conducen a la división o a la desconfianza, levantamos una barrera que puede impedirle a nuestros familiares, amigos o compañeros de trabajo, acercarse a la fe en Cristo. Todas estas cosas les confirman lo que ellos ya sospechan: el cristianismo es una religión de hipócritas.

El divorcio: la peor forma de división

En Gran Bretaña, actualmente, una de cada tres parejas que se casan, se divorcian, mientras que en los Estados Unidos sucede lo mismo con una de cada dos. ¡Qué trágica estadística! En Malaquías 2.16, Dios dice que aborrece el divorcio, la ruptura de la unidad entre dos personas que se han comprometido a estar unidas. Cuánto deben dolerle las consecuencias de esta desunión.

El divorcio es como arrojar una piedra en un estanque, los círculos son cada vez más grandes. No solamente el esposo y la esposa sufren, sino también los hijos. Los sicólogos nos dicen que, a pesar de todo lo que se afirma en lo contrario, muchos hijos llevan consigo la culpa de haber sido responsables de alguna manera en el fracaso del matrimonio de sus padres.

Toda la sociedad también sufre. Una estadística recientemente publicada en los Estados Unidos muestra que el 89 por ciento de todos los delitos violentos (raptos, asesinatos, asaltos, etc.) han sido cometidos por personas que pertenecen a hogares que han sufrido el divorcio. No es de asombrarse que Dios aborrezca el divorcio.

A pesar de que los círculos del divorcio se sientan en toda la sociedad, creo que lo opuesto también es verdad. Las familias cristianas, las iglesias y las organizaciones que habitan en unidad, tienen un efecto positivo y estabilizante en la sociedad. Esto debería desafiarnos a cada uno de nosotros para amarnos más profundamente y para buscar activamente la unidad.

Creo que la división en el cuerpo de Cristo es como un divorcio espiritual con nuestro hermano. Hemos roto el compromiso de amarnos y aceptarnos el uno al otro (el compromiso que Dios espera que vivamos). Al romper este compromiso, caemos presa del dolor, de la amargura, de la desconfianza y de muchas otras cosas que afectan nuestra vida espiritual y que producen una profunda grieta en el cuerpo de Cristo.

Muchos de nosotros, a raíz de desengaños personales, no creemos que la unidad bíblica sea posible. Como consecuencia, nuestra percepción de la Palabra de Dios se ve empañada, haciendo que centremos nuestra atención en nuestras heridas y frustraciones. Pero Dios es más grande que nuestras experiencias dolorosas. No debemos permitir que la incredulidad gobierne nuestros corazones. ¡La incredulidad es el cuarto oscuro de nuestra vida, donde las dudas y los temores se transforman en negativos!

Es probable que al leer estas palabras, algunos recuerdos negativos hayan revivido. Si esto es así, no sigas adelante leyendo sin tomarte tiempo para hablar con Dios acerca de tus heridas. Confiésaselas al Señor, pidiéndole que te sane, y luego perdona a quienes te han herido. Al hacer esto, tal vez en algún período de tiempo, Dios derrame esperanza y amor en tu corazón.

Jesús oró por lo que era posible

No es fácil lograr la unidad bíblica. Yo soy el primero en admitir que amar a otros y mantener la unidad no es tarea fácil. Mi padre es pastor y durante mi niñez nos trasladamos a cuatro o cinco iglesias que habían experimentado grandes divisiones.

La tarea de papá era la de pacificador. Pacientemente hablaba primero con una fracción y luego con la otra. Escuchaba sus ofensas, negociaba y en varias ocasiones trajo la salud del Espíritu Santo. Quitando ladrillo por ladrillo él ayudaba a derribar barreras de división. Créeme, ¡yo crecí con muy poco idealismo acerca de la unidad de la iglesia! Ahora, como líder de Juventud con una Misión, debo ayudar a promover la unidad en muchas circunstancias diferentes. Esta misión posee una gama extremadamente variada de nacionalidades, denominaciones, edades y entornos. Con un grupo tan variado, la posibilidad del conflicto, de la incomprensión y de la desunión es enorme. Sin embargo he tenido el privilegio de ver como se han superado tensiones aplicando principios bíblicos, y a través del compromiso a creer que todos somos llamados a vivir como hermanos y hermanas cristianas en amor y en unidad.

La unidad es posible. ¿Acaso Jesús se hubiera molestado en orar por algo que no es posible? ¿Sería tan cruel como para encender en nosotros la esperanza y la expectativa de que nosotros, como su iglesia, podemos vivir en profundo amor, compañerismo y confianza, sólo para desanimarnos y desilusionarnos?

Jesús ora por la unidad a pesar de las diferencias políticas, sociales y generacionales, y a pesar de las barreras culturales y raciales detrás de las cuales nos escondemos. El ora por una unidad que trascenderá el denominacionalismo y, en algunos casos, la delgada barrera del «¡no denominacionalismo!» Los conflictos relacionales, la independencia, la demanda de nuestros derechos, la con-

ducción o participación en peleas dentro de la iglesia, y la
participación en las divisiones de la iglesia son todos pecados que están directamente opuestos a la oración de Jesús
en Juan 17.

Cuando la división penetra en una iglesia, mucha gente
se preocupa por saber quién tiene la razón, pero nadie que
participe en una división tiene la razón. No es cuestión de
quién tiene la razón, sino de quién es obediente a la Palabra
de Dios. Es probable que los asuntos que nos dividan sean
importantes, pero existe algo superior en la lista de prioridades de Dios, y esto es la unidad.

Es probable que tengas que dejar una iglesia a causa de
una división que simplemente está fuera de tu control. La
división, muchas veces, es el resultado de la intransigencia
de parte de la persona ofendida; si no hay un arrepentimiento de corazón, puede resultar una división sobre la cual no
tengas control. También es probable que te veas forzado a
distanciarte de una situación simplemente porque está mal.
Cuando surgen cualquiera de estas situaciones, debemos
estar seguros de que nuestros motivos son puros y que no
estamos utilizando los errores de otros como una excusa
para canalizar el enojo y el resentimiento en nombre de una
justa indignación.

¡Amaos los unos a los otros !

La unidad es posible únicamente si nos amamos los unos
a los otros. La oración de unidad de Jesús implica que el
amor es absolutamente esencial si deseamos agradarle.
En Juan 17.23, Jesús ora pidiendo que seamos uno para
que el mundo conozca que el Padre nos ha amado como
también lo ha amado a él. El Padre nos ama a ti y a mí de
la misma manera en que ama a su Hijo. ¡Qué asombroso
amor! El amor que sentimos el uno por el otro es capaz de
permitir que la gente vea y experimente el amor del Padre.
Algunos se preguntan por qué tantas personas solitarias y

carentes de amor se sienten atraídas hacia los cristianos. Nunca deberíamos avergonzarnos por el hecho de que estas personas deseen estar entre nosotros; es que se sienten atraídos por el amor del Padre que ven manifestado en nosotros.

La referencia que se hace en Juan 17 se verbaliza claramente en Juan 15. Allí, Jesús manda amarnos los unos a los otros. Es probable que algunos no vean la obligación de amar a los demás señalada en Juan 17, porque se encuentra en forma de oración. Pero dos capítulos adelante, Jesús dice que no existe otra opción para el cristiano. Es un mandamiento. Debemos amarnos los unos a los otros. Cada vez que ponemos excusas, Jesús nos dice muy claramente cómo espera que nos relacionemos los unos con los otros.

La unidad no solamente es posible, sino que es absolutamente esencial. Si creemos que lo que Jesús oró por nosotros es posible, y que no aceptaremos nada menos que nuestra total obediencia de corazón, entonces estamos acorralados. No más excusas. Si hemos elegido seguir a Jesús, entonces debemos hacerlo en sus términos y no en los nuestros.

El amor natural

Existe una gran confusión acerca de la naturaleza del amor. ¿Será un sentimiento meloso que viene sobre nosotros, llenando nuestros ojos de estrellitas como lo muestran tantas películas? Un estudio más exhaustivo de Juan 15 nos dará una mayor comprensión de lo que significa la palabra amor.

En los versículos 13 al 17, Jesús define la verdadera naturaleza del amor:

• Es *sacrificial*.

Debemos morir a nuestros deseos por el bien de otros. Algunas veces pienso que realmente sería más fácil morir por alguien que vivir por él. Pero Jesús nos pide que muramos a nuestros derechos, preferencias o deseos y que vivamos para otros.

• Es *elegir* lo correcto.

«Vosotros sois mis amigos, si hacéis lo que yo os mando», dice Jesús. El amor es mucho más que un sentimiento. Es elegir hacer y pensar lo que es correcto, aun cuando no deseemos hacerlo.

• Es *apertura* para compartir libremente nuestros pensamientos y sentimientos.

Jesús les dijo a sus discípulos que no sólo eran sus siervos sino sus amigos, porque él compartía todo con ellos.

• Es *compromiso*.

Jesús les dijo a sus discípulos que él los había elegido a ellos y no ellos a él, porque deseaba que fuesen sus amigos y compañeros de trabajo.

• Es *confianza*.

Jesús confió en sus discípulos y los envió para que le representaran a él y al Padre.

• Es *obediencia* a un propósito más alto en la vida: el de vivir en primer lugar para el Señor y para otros.

Se nos ordena amarnos los unos a los otros, pero la idea de que nos digan qué es lo que debemos hacer, va en contra de nuestra naturaleza. La parte pecadora del ser humano, lo que la Biblia llama nuestra «carne», lucha en todo momento contra la idea de vivir en primer lugar para los demás. Tratamos de evitar por todos los medios amar a la gente que, desde nuestra pequeña perspectiva, son imposibles de amar.

Hasta que no aceptemos el hecho de que el Señor Jesús nos demanda nuestra obediencia incondicional, continuaremos alimentando toda clase de razonamientos para evitar obedecerle. Hasta que no creamos con todo nuestro corazón que debemos obedecerle, no lo haremos. Y cuando lo creamos, únicamente podremos hacerlo con su ayuda.

Debemos inclinar nuestros corazones delante de él y reconocer cuán egoístas somos desde el comienzo. Cuando vemos que es una obligación amar a los demás como oró Jesús en el capítulo 17 de Juan y como lo ordenó en el capítulo 15, el Espíritu Santo puede comenzar a obrar en nosotros capacitándonos para esta tarea. Esta clase de honestidad con Dios nos permite recibir en nuestros corazones el amor que él desea que sintamos hacia los demás.

El ejemplo supremo de amor

¿Has notado que en Juan 17 Jesús ora para que el amor que tengamos los unos para con los otros sea como el amor que existe entre él y el Padre? ¿De qué manera se aman? Si comprendemos el amor que existe entre el Padre y el Hijo, esto nos ayudará a comprender mejor la misma naturaleza del amor.

Cuando Jesús vino a la tierra, él renunció a todos sus privilegios y derechos celestiales (Filemón 2.6-8). Se sometió a la voluntad del Padre (Mateo 26.36-46). El fue abierto con su Padre y le compartió sus sentimientos honestamente, pero sin manipularlo (Mateo 26.39). Honró al Padre en todo lo que hizo (Juan 8.28-29).

El Padre amó al Hijo, honrándole públicamente como su Hijo amado (Marcos 1.11). Le confió la responsabilidad más grande de todos los tiempos: la redención de la humanidad (Juan 3.16). Compartió todas las cosas con él (Juan 17.6-26).

A nosotros se nos ofrece esta misma relación de amor, confianza y honor. Jesús ora para que nos amemos los unos a los otros de la misma manera en que se aman él y el Padre.

La pregunta que nos queda es: «¿Cómo funciona esto en la realidad?» Jesús dijo que era posible, pero ¿existen pasos que podamos seguir que nos puedan ayudar a amarnos los unos a los otros en la vida diaria?

Capítulo 4

Reglas para las relaciones

Muchos esperan que las personas que les rodean sean perfectas, mientras otros buscan la iglesia perfecta. Pero si esperamos perfección en un mundo caído, únicamente encontraremos desilusiones y dolores. La unidad en un mundo caído no implica la ausencia total del pecado y del mal, ni tampoco significa absoluta pureza doctrinal. Lo que la unidad realmente significa es que debemos tener la actitud de Cristo hacia otros cuando pecan o cuando están equivocados, ya que hemos creído en Cristo para el perdón de nuestros propios pecados.

En Efesios, capítulos 4 y 5, Pablo describe los principios y actitudes que debemos tener para guardar la unidad que se nos da a través de la muerte de Jesús en la cruz. En el capítulo 4 él nos dice que debemos ser «solícitos en guardar la unidad del Espíritu en el vínculo de la paz... hasta que todos lleguemos a la unidad de la fe y del conocimiento del Hijo de Dios, a un varón perfecto, a la medida de la estatura de la plenitud de Cristo» (Efesios 4.3, 13).

Pablo compara la unidad del Espíritu (la actitud correcta del corazón y de la mente hacia los demás a pesar de la debilidad o el pecado) con la unidad de la fe (la absoluta madurez y perfección doctrinal). Desafía a la iglesia a estar dispuesta a mantener la unidad del Espíritu hasta que alcancemos la unidad de la fe.

Esto implica tres cosas. En primer lugar, la unidad del Espíritu debe ser nuestra prioridad hasta que Dios lleve a su iglesia a la unidad de la fe. En segundo lugar, debemos estar dispuestos a «mantener» la unidad del Espíritu. Y en tercer lugar, no debemos insistir en la unidad de la fe (madurez espiritual y pureza doctrinal) como la base para amar a los demás. Esto es obra de la carne, y por lo tanto, es pecado.

¿Estamos dispuestos a perdonar a aquellos que nos hieren, a aceptar a aquellos que son diferentes a nosotros, a preferir a aquellos que no están de acuerdo con nosotros, a amar a aquellos que nos atacan, a someternos a quienes están por encima de nosotros, a confiar en aquellos que nos dirigen, a acercarnos a quienes nos lastiman, y a ser pacientes con aquellos que no concuerdan con nosotros? Si no es así, debemos arrepentirnos. Necesitamos pedirle a Dios que nos revele más profundamente qué es lo que hay en nuestros corazones, cuáles son los pecados que nos impiden desear este grado de amor y unidad. No estamos hablando acerca de un sentimiento, sino de una actitud básica. La unidad comienza con una actitud de corazón que es el fruto del quebrantamiento en nuestras vidas. Dios no desea que seamos los jueces de las intenciones del corazón y de las vidas de otros. El desea que nos juzguemos a nosotros mismos. Cuando perdemos este quebrantamiento y nos tornamos duros y críticos, perdemos nuestro deseo de unidad.

Reglas prácticas para la edificación de las relaciones personales

No deberíamos preguntarnos por qué las otras personas están equivocados o han pecado. Mas bien, deberíamos considerar de qué manera vamos a responderles. ¿Demandaremos condiciones irrazonables antes de restaurarles a la comunión, o responderemos con un rápido perdón lleno de alegría?

La siguiente lista nos ayudará a poner a prueba nuestras motivaciones en esta área. Por favor, léela en oración, y pídele al Espíritu Santo que te hable mientras lo haces.

1) En Efesios 4.2, Pablo nos dice que debemos mantener una actitud de humildad, mansedumbre, paciencia y tolerancia. Si mantenemos una actitud así en nuestra vida diaria, tendremos gran poder.

- *Humildad* significa que estamos dispuestos a que nos conozcan tal como somos y por lo que hemos hecho, en lugar de construir relaciones en un nivel superficial. Significa que estamos preparados para hacer todo lo necesario para arreglar las cuentas con los demás cuando han pecado en contra de nosotros o cuando nos han herido.

- *Mansedumbre* significa que no insistiremos en hacer las cosas a nuestra manera, o que no trataremos de prevalecer.

- *Paciencia* significa que esperaremos a los demás con amor, especialmente cuando están equivocados.

- *Tolerancia,* o el soportarnos, significa que podemos ayudar a otros en sus debilidades.

2) Debemos hablar la verdad en amor (Efesios 4.15, 25, 26, 29-31). Pablo le presta mucha atención a la lengua, y nos dice varias cosas acerca de lo que decimos, a lo cual debemos prestar mucha atención.

¿Deseas mantener tus amistades? ¿Deseas que tus amistades glorifiquen a Cristo? Entonces:

- Habla la *verdad*. Debemos ser directos, precisos y honestos.

- Habla la verdad *en amor*. No debemos hablar enojados, ni con amargura, ni de una manera descortés, pero debemos hacerlo en el tiempo de Dios, esperando que él prepare los corazones de aquellos a quienes les vamos a hablar. Esto también implica que debemos seleccionar lo que vamos a decir; una persona sabia no divulga todo lo que conoce.

- Solamente debemos hablar aquello que *edifica*. En otras palabras, solamente debemos decir cosas que sean positivas y que sirvan de ayuda. No es suficiente excusarnos diciendo: «Solamente fui honesto». Puedes devastar completamente a otra persona siendo rudamente honesto en el momento equivocado. Hay algo más que ser honestos; la Biblia nos enseña que solamente deberíamos decir aquellas cosas que ayudarán a una persona. La honestidad sin sabiduría puede ser pecado.

- Libérate de un *espíritu crítico*. «Quítense de vosotros toda amargura, enojo, ira, gritería y maledicencia, y toda malicia» nos exhorta Pablo en Efesios 4.31. La raíz de todas estas cosas es un espíritu crítico, uno de los grandes enemigos de la unidad. ¿Te resulta más fácil criticar a alguien que animarlo? La Biblia clasifica como pecado el repetir las faltas y los pecados de los demás, ya que desparrama la desconfianza y alienta la división. Es un veneno que rápidamente puede infectar a todo el cuerpo.

Hace varios años atrás, me encontraba en una reunión en la cual se habían reunido los líderes para discutir algunos esfuerzos cooperativos hacia la unidad del Cuerpo de Cristo. Alguien mencionó el nombre de un líder que a él le parecía que debía ser invitado a aquella reunión. En respuesta a esto, un pastor anunció que algunas personas en su iglesia habían tenido problemas en el pasado con este líder y dijo que no era un buen hombre.

Cuando se indagó un poco más en la cuestión, este pastor admitió que no conocía personalmente al líder en cuestión, y que no había interrogado a los miembros de su congregación para conocer la opinión que tenían de él. Lo que es peor aún, nunca se había molestado en buscar la reconciliación entre los miembros de su congregación y este líder.

Esto es pecado. El estaba sembrando semillas de duda y de desconfianza en nuestra mente a través de un conflicto sin bases sólidas y que estaba sin resolver. La ruptura de la unidad entre los miembros de su iglesia y este líder, fácilmente podría haber traído una ruptura entre nosotros.

La calumnia, si no se frena, trae división. Aunque algo sea verdad, no es necesario decirlo públicamente, a menos que tenga que ver con problemas morales o con serios errores doctrinales. Dios nos llama a ser responsables por lo que decimos, a ser leales los unos con los otros y a promover la reconciliación, el perdón y la unidad. Esta no es una opción extra para cristianos «maduros». A todos se nos manda que lo hagamos.

3) Pablo exhorta a los creyentes a perdonar a aquellos que pecan y a disciplinar a quienes no se arrepienten de sus pecados (Efesios 4.32; 5.1; 5.5-7).

No puede existir la unidad sin el perdón y la disciplina de la iglesia. No existe problema de división que no se pueda resolver si existe una gran humildad y perdón. Cuando no existe una evidente humildad de parte del hermano que ha pecado, debe existir una disciplina amorosa, pero firme. Ya sea que las personas se arrepientan o no, nosotros igual debemos perdonarles. Pero cuando no se arrepienten, aunque los perdonemos, los líderes de la iglesia deberían traer amorosamente la disciplina sobre sus vidas.

4) Debemos reconocer que pertenecemos los unos a los otros. Todo el que pertenece a Jesús es miembro de nuestra familia, coheredero de la gracia de Cristo. Tal como sucede en una familia normal, hay algunos miembros que se llevan mejor entre sí, ya que los mismos tienen más cosas en común. Lo mismo sucede en la familia de Dios. En nuestras familias terrenales no negamos que alguien es nuestro hermano o nuestra hermana simplemente porque es diferente a nosotros. Tampoco deberíamos hacerlo en la iglesia, porque somos miembros los unos de los otros (Efesios 4.25).

Recuerdo que una vez le dije a un amigo que con cierto grupo de cristianos nunca podría trabajar ni tampoco podría sentirme identificado públicamente. Me parecía que su doctrina era tan errónea y sus prácticas evangelísticas tan pobres, que eran una desgracia para el nombre del Señor. Para mí hubiera sido un compromiso molesto identificarme con ellos. Seguí diciéndole a mi amigo que yo creía que eran cristianos, pero pensaba que estaban muy equivocados y yo aborrecía sus principios y la manera en la que expresaban su fe. No robaban, mentían o negaban la deidad de Cristo, pero yo simplemente «sabía» que sus prácticas superficiales herían al Señor.

Mi amigo me dijo que yo tenía un problema, el orgullo. ¡Qué sorpresa! Yo pensaba que era justo, bíblicamente profundo en mis creencias y prácticas. Cuando la indignación inicial pasó, le pedí al Señor que me mostrara si estaba equivocado. Inmediatamente comencé a pensar en cuánto me amaba Cristo a pesar de mis muchos pecados y fallas, al punto de haberme aceptado en su familia dándome su nombre. Si el Hijo de Dios podía identificarse conmigo, un miembro de la pecadora raza humana, ¿por qué yo no podía identificarme con estos otros creyentes?

Irónicamente, cuanto más conozco a la gente de ese grupo particular, más me gustan. El orgullo me enceguecía y me impedía ver lo que ellos tenían para enseñarme. Probablemente nuestros prejuicios contra otros grupos cristianos reflejan nuestros puntos débiles, aquellos en los que somos débiles y necesitamos la ayuda de ellos para crecer.

Hay una sola iglesia. Sin embargo, a juzgar por nuestro comportamiento, uno podría pensar que seriamente creemos que cuando vayamos al cielo, Dios nos dividirá en diferentes fracciones para que podamos regocijarnos junto con nuestro pequeño grupo o denominación. Lo que es peor aún, algunos actúan como si su grupo fuera el único que va a ir al cielo. Pero cuando lleguemos al cielo, todos seremos uno, entonces ¿por qué no comenzar desde ahora a conocer cristianos de otras denominaciones y grupos? Dejemos de lado nuestro sectarismo, nuestro temor y nuestro orgullo, y acerquémonos los unos a los otros, después de todo, pertenecemos los unos a los otros.

El conde Zinzendorf, de Moravia, fue quien enseñó que Dios no revela toda su verdad a ninguna persona o grupo cristiano individualmente. El creía que Dios ha distribuido el conocimiento de la verdad bíblica en todos los grupos, para que necesitemos depender los unos de los otros para lograr el equilibrio. Si realmente pudiéramos captar esta visión, especialmente los que somos líderes, nuestra actitud hacia los demás sería muy diferente.

5) Por último, Pablo nos exhorta a estar llenos del Espíritu, alabando al Señor, animándonos los unos a los otros, y siempre dando gracias en todo a Dios el Padre.

Gratitud. Ánimo. Acción de gracias. Estas cualidades no se adquieren accidentalmente. Se necesita cultivarlas deliberadamente hasta que se conviertan en parte de nuestros pensamientos y acciones diarias. Necesitamos pasar

tiempo en la presencia de Dios, preguntándole de qué
manera podemos alentar a quienes nos rodean. También
necesitamos pedirle una fresca revelación de todo lo que él
ha hecho y ha provisto para nosotros; entonces nuestros
corazones estarán llenos de gratitud.

   ¡Qué bendición, cuando finalmente llegamos a morar
en unidad! Esto hace que todo tenga valor.

             ¡Mirad cuán bueno y cuán delicioso es
             Habitar los hermanos juntos en armonía!
             Es como el buen óleo sobre la cabeza,
             El cual desciende sobre la barba,
             La barba de Aarón,
             Y baja hasta el borde de sus vestiduras;
             Como el rocío de Hermón,
             Que desciende sobre los montes de Sion;
             Porque allí envía Jehová bendición,
             Y vida eterna (Salmo 133).

Capítulo 5

«¡También los pecadores hacen lo mismo!»

Hace unos cuantos años atrás, existía un coro cristiano muy popular que realmente me molestaba. En una de las líneas (que por cierto era la única de toda la canción), decía así: «Cristo en mí, te ama a ti». Según el líder de adoración que estuviera de turno, se suponía que debíamos mirar alrededor de la habitación sonriéndole a los demás, abrazar a la persona que se encontraba a nuestra izquierda, o saludar a dieciocho personas que no conocíamos, ¡todo mientras cantábamos la canción! En estos momentos lamentaba los varios centímetros más de estatura que tenía que hacían que resultara imposible pasar inadvertido.

Me sentía irritado porque no podía figurarme de qué manera una canción podía probar que nos amábamos los unos a los otros. Yo ya sabía que Jesús me amaba, pero la mera repetición de un estribillo no me convencía de que el hombre que se encontraba sentado en el banco opuesto me amara. Probablemente si nos hubieran pedido que sacáramos las billeteras y nos bendijéramos unos a otros financieramente mientras cantábamos, ¡esta canción me hubiera resultado más convincente! Pero me temo que en ese caso algunos adoradores un poco pálidos se hubieran dirigido hacia las salidas.

Es fácil ser superespirituales en cuanto al amor, y no pensar seriamente en lo que realmente quiere decir. Jesús dijo: «Porque si amáis a los que os aman, ¿qué mérito tenéis? Porque también los pecadores aman a los que los aman. Y si hacéis bien a los que os hacen bien, ¿qué mérito tenéis? Porque también los pecadores hacen lo mismo» (Lucas 6.32-33).

Por lo tanto, si amamos a los amigos y a los familiares porque ellos nos devuelven el amor, o si le devolvemos un favor a alguien que nos ha hecho uno, ¿qué hay en eso? Todos lo hacen, aunque no tengan el amor de Dios en sus corazones. Jesús nos quiere decir que no debemos esperar una gran recompensa si amamos únicamente a ese nivel.

¿Qué me dicen de amar a una persona que nos defrauda en un negocio y luego toma la Cena del Señor con nosotros el domingo? ¿Qué me dicen de aquel que tiene una lengua afilada y que constantemente nos hiere con sus crueles y sarcásticos comentarios? ¿O ese jefe que no confía en nosotros y que no nos da las oportunidades que necesitamos para demostrar nuestra capacidad? Jesús dice claramente en Lucas 6 que el verdadero amor no comienza hasta que no es sacrificial, hasta que no va en contra de nuestra naturaleza caída. El nos manda amar a nuestros enemigos y bendecir a aquellos que nos maldicen y nos persiguen. Cuando las personas nos odian, no debemos responderles de la misma manera. Cuando nos calumnian, debemos hablar positivamente acerca de ellos, y cuando solicitan nuestra ayuda debemos dársela.

Resulta irónico que aquello que es más duro de hacer (amar a alguien que es verdaderamente difícil), es el medio a través del cual Jesús nos promete que pondrá su marca en nosotros. «En esto conocerán todos que sois mis discípulos, si tuviereis amor los unos con los otros» (Juan 13.35). Probablemente estés pensando: «Yo no puedo perdonar a tal y a tal por la forma en la que me defraudó. Humanamente no es posible». De acuerdo, ¿pero quién dice que estamos limitados a los recursos humanos para amar a los demás? «...porque mayor es el que está en vosotros, que el que está en el mundo» (1 Juan 4.4). Servimos a alguien que desea mostrarle al mundo el amor sobrehumano a través de nosotros.

Cuando pasamos de lo ordinario a lo extraordinario, mostramos que somos discípulos de Jesús. Al vivir en Amsterdam, tuvimos el privilegio de conocer a Corrie ten Boom, o Tante Corrie, como la llamábamos cariñosamente. Cuando nos visitaba, muchas veces yo la acompañaba a lo largo de los canales hasta llegar a su auto. Mientras caminábamos, ella me contaba cómo era Holanda durante la ocupación alemana. Ella y su familia fueron responsables de ayudar a muchos judíos a escapar del país, y cuando finalmente se descubrió su organización, ella, sus hermanas Betsie y Nollie, su hermano Willem y su padre, fueron enviados al campo de concentración. Su padre sólo sobrevivió diez días, pero Corrie tuvo que soportar la agonía de ver cómo Betsie perdía su vida lentamente mientras los guardias de la SS la golpeaban y abusaban de ella.

Luego de la guerra, Corrie comenzó a llevar el mensaje del perdón de Dios por toda Europa. Ella proclamaba que no había nada que hubiéramos hecho que Dios no pudiera perdonar. Mientras caminábamos juntos una tarde, me contó de una vez en que este mensaje se puso a prueba en su propia vida.

Ella había estado predicando en una iglesia en Munich, cuando al final de la reunión, un guardia de la SS del campo de concentración en el cual Betsie y Corrie habían estado, se acercó a hablar con ella. Los recuerdos inundaron su mente, y pudo ver el demacrado cuerpo de Betsie mientras le quitaban las últimas gotas de vida. Recordaba muy bien a este guardia que ahora le extendía la mano. Con una sonrisa, este hombre le dijo que estaba de acuerdo con que

Dios perdonaba todos los pecados. Corrie relataba que le pareció una eternidad hasta que pudo encontrar la gracia de Dios para extender su mano a este guardia. Al hacerlo, el calor del amor de Dios la inundó al comenzar a sentir su amor por este hombre.

Ella me contó que esta historia había conmovido a muchos auditorios. La gente exclamaba:«Yo nunca podría hacerlo. ¡Sería demasiado!» Sin embargo deseaban escuchar la historia nuevamente. ¿Por qué? Porque las cosas que no podemos alcanzar en nuestra propia fuerza o por nuestra bondad de corazón nos inspiran y convencen al incrédulo de que Dios vive.

Debemos aplicar el Evangelio a nuestro estilo diario de vida, rehusándonos a tratar a la gente en la forma en que ellos nos han tratado a nosotros. Jesús nos dice que debemos amar a nuestros enemigos y que debemos orar por aquellos que abusan de nosotros. Pero, ¿quiénes son nuestros enemigos, y de qué manera podemos amarlos en términos prácticos?

Enemigos: esta palabra conjura imágenes de Hitler, tanques armados, o soldados camuflados detrás de los arbustos; pero esta palabra tiene un significado mucho más amplio, y a esto fue a lo que se refirió Jesús cuando habló de amar a nuestros enemigos.

Uno de los significados que da el diccionario Webster para la palabra enemigo es: «Aquel que busca el mal o el fracaso de su oponente. El que muestra hostilidad, mala voluntad, o que posee una actitud destructiva o un sentimiento de odio». Muchas de las personas que conocemos caen dentro de esta categoría en muchas oportunidades, ya sea que busquen nuestro daño físico, sicológico, emocional o espiritual. Algunas veces, inclusive nuestros propios familiares nos demuestran mala voluntad, o tienen actitudes destructivas en contra de nosotros. ¿Existen pasos prácticos que podamos tomar que nos ayuden a amar a estas personas como Jesús desea que las amemos?

El amor siempre comienza con la humildad

«Por cuanto todos pecaron, y están destituidos de la gloria de Dios» (Romanos 3.23). Comencemos a aplicar este texto en nuestras propias vidas, antes de comenzar a señalar a otros con el dedo. Cuando dejamos de ver lo desagradables que hemos sido en algunos momentos, comenzamos a sentir orgullo. Es mucho más fácil amar a una persona desagradable, cuando somos conscientes de nuestras propias faltas.

Un conocido viajaba por una carretera un día, quejándose al Señor por todos sus problemas. Le parecía que mucha gente lo criticaba injustamente, y que inclusive fabricaban mentiras para agravar su caso. El clamaba por comprensión, por lo tanto se sorprendió mucho cuando sintió que el Señor le decía: «¡Alégrate de que ellos en realidad no conocen toda la verdad acerca de ti!»

Con demasiada frecuencia tendemos a ver el bien en nosotros y a recordar nuestros éxitos en lugar de nuestros fracasos. Por lo tanto, tratemos a los demás de la misma manera. Recuerda: «Ama a tu prójimo como a ti mismo» (Mateo 22.39).

Perdona a aquellos que te hieren y te irritan

El perdón no es un sentimiento, ni tampoco es simplemente tratar de olvidar las cosas malas que nos hacen. Es un acto de la voluntad y el corazón. Es darle a una persona algo que no se merece: el perdón. El perdón reconoce que hemos estado equivocados, pero va más allá de eso y extiende la misericordia.

Algunas veces el perdón es un proceso. Si hemos recibido una herida profunda, toma tiempo hasta que la herida sane. En este caso, el perdón actúa como una continua limpieza de la herida para que pueda sanarse adecuadamente. Mientras pensamos en una persona que nos ha herido o que ha pecado contra nosotros, los sentimientos de resentimiento y dolor emocional surgen nuevamente. Es entonces cuando debemos reafirmar nuestro compromiso de perdonar. No significa que el primer acto de perdón no sea válido, pero se necesita un proceso hasta que estemos completamente sanos.

Una vez, un amigo me hirió profundamente. No podía sobreponerme al enojo y la desilusión que sentía cada vez que pensaba en él. Otro amigo me aconsejó que cada vez que surgieran estos sentimientos, yo debería decirle al Señor que perdonaba a ese amigo así: «Señor, decido hacer esto con tu amor, y no me daré por vencido hasta que pongas tu amor hacia él en mi corazón. Recibo este amor por fe».

Hice esta oración varias veces al día durante meses, pero aparentemente nada cambiaba. Entonces un día, mientras oraba, algo sucedió finalmente; comencé a ver a mi amigo con unos nuevos ojos. Vi heridas; vi cómo su padre le había herido, y de qué manera él me estaba pasando aquellas heridas a mí. El Señor llenó mi corazón de compasión hacia él, algo que yo pensé que jamás sucedería. ¡El Señor hizo más de lo que yo podía pedir o pensar!

Acércate a las personas, no te alejes de ellas

Cuando alguien nos irrita, o cuando su personalidad se contrapone a la nuestra, generalmente tendemos a evitarle. Cuando esta persona entra en una habitación, tratamos de no mirar en esa dirección y de trasladarnos al otro lado del cuarto. Algunos de nosotros llegamos tan lejos como para no asistir a eventos o reuniones si sabemos que cierta persona estará allí.

Una de las grandes llaves para amar a nuestros adversarios, es acercarnos a ellos en lugar de alejarnos. Esto va en contra de la naturaleza humana, pero es efectivo. Es probable que necesitemos orar por una relación difícil, o que debamos enfriarnos luego de una discusión, pero debemos comprometernos con esta persona y trabajar en esta situación hasta que podamos salir adelante.

Mi esposa y yo algunas veces nos molestamos el uno con el otro, o no nos ponemos de acuerdo en algún asunto importante. Cuando recién nos casamos, estas experiencias nos resultaban enervantes, pero ahora no nos preocupan tanto porque estamos más seguros en nuestra relación. Nos hemos puesto de acuerdo para que cuando esto suceda, nos tomemos unas pocas horas, o días si fuera necesario, para calmarnos y obtener una perspectiva más clara. Unicamente entonces hablaremos acerca del problema. Seguiremos hablando acerca de él hasta que lleguemos a un mutuo acuerdo. Este mutuo compromiso de acercarnos y no de separarnos el uno del otro, es lo que nos ayuda a hacer frente a los tiempos difíciles.

¿Qué sucede con la persona que no comprende estos principios y que no desea abrirse y hablar? Todos nosotros podemos acercarnos a tales personas y tratar de crear una atmósfera en la que sienta que puede comunicarse con nosotros. La mayoría de las personas desean hablar, pero no saben cómo abrirse. Debemos encontrarnos en un campo neutral, tal vez almorzando juntos, tomando una taza de café, o haciendo algo que le guste. Muéstrale que eres abierto, que deseas que las cosas se arreglen y que eres accesible. Cuando la tensión se haya aflojado, podrás tratar las áreas sensibles en esa relación, probablemente preguntándole si has hecho algo que le hiriera, o si estaría dispuesto a conversar acerca de la tensión que existe en la relación entre ambos.

No recibas quejas sobre tu vecino

Este es un viejo y buen consejo bíblico, que quiere decir que no debemos recibir críticas o relatos negativos acerca de otra persona. No permitas que los enemigos de otras personas se conviertan en tus enemigos.

Varios años atrás, mientras hablaba en una conferencia cristiana, asignaron a cierta mujer joven para que fuera mi anfitriona. Hizo un trabajo extraordinario, pero la encontraba muy irritable y sentía que no podía comunicarme con ella. Oré por ella, la bendije y apliqué cada uno de los principios que conocía para sobreponerme a mi mala actitud, pero sin resultados.

Finalmente, en el último día de la conferencia, mientras oraba por esta situación, el Señor me recordó una conversación que había tenido varios meses atrás. Me habían dicho algunas cosas negativas acerca de esta muchacha, cosas que yo creía que había olvidado. Estas cosas se habían almacenado profundamente en mi mente y ahora afectaban mi actitud hacia ella. Sin saberlo, yo había escuchado un reproche en contra de alguien que no me había hecho nada absolutamente, sino que realmente se había inclinado delante de mí para bendecirme. Al darme cuenta de lo que había hecho, me arrepentí, y aquellos sentimientos negativos se alejaron inmediatamente.

¿Cuál es la respuesta correcta hacia alguien que nos dice cosas negativas acerca de los demás? Detener la conversación y ofrecernos para actuar de intermediario para que estas dos personas se reconcilien, o bien ofrecernos a orar en ese mismo momento para que Dios dé una respuesta a esa situación. Lo que no debemos hacer es recibir pasivamente lo que se nos está diciendo; de lo contrario nuestras mentes rápidamente se convertirán en el basural en el cual otras personas puedan arrojar sus desperdicios, y nos encontraremos envueltos en toda clase de relaciones tensas y complejas.

Pero ¿qué sucede si lo que me están diciendo es verdad? Espiritualmente, ¡no necesitas decir mentiras para calumniar a otra persona! No se trata de discernir si es verdad o no, sino que no debes recibir reproche alguno contra tu vecino. El único momento en el que es correcto hablar sobre las faltas de alguien, es cuando estamos involucrados en el consejo pastoral, en el cual la discusión ayuda a que el proceso avance.

Hace muchos años, cuando me encontraba en Sud Africa, conocí a un cristiano negro. Algún tiempo atrás, la policía lo había arrestado bajo la sospecha de que estaba involucrado con el Congreso Africano Nacional (grupo que luchaba contra el gobierno sudafricano). Por varios meses lo interrogaron y lo torturaron mientras la policía trataba de obligarle a confesar. Sin embargo, él no había hecho nada malo. Finalmente lo arrojaron de un hospital a la calle, casi muerto.

Un amigo mío investigó este asunto y, para su espanto, descubrió que el policía que había estado a cargo del «equipo» de interrogación a este cristiano negro, también era creyente. Este hombre había ayudado a golpear y torturar a un hermano en Cristo, sin una firme evidencia, dejándose llevar simplemente por lo que había escuchado. Oré con este cristiano negro en su hogar. Lloró profundamente mientras recordaba el pánico y la inhumanidad de la situación, pero luego decidió perdonar a su hermano blanco.

A pesar de que este amor perdonador es totalmente contrario a la naturaleza humana, está completamente de acuerdo con el carácter de Dios. Este es el amor sobrehumano que muestra que tenemos el Espíritu Santo viviendo en nosotros. La Biblia lo dice de esta manera: «Mas el fruto del Espíritu es amor, gozo, paz paciencia, benignidad, bondad, fe, mansedumbre, templanza» (Gálatas 5.22, 23). No podemos fabricar estas cualidades nosotros mismos; debemos permitirle al Espíritu Santo que tome parte activa en nuestras vidas si deseamos tener su fruto.

Esta lista es muy diferente cuando seguimos nuestro propio camino. Pablo dice: «Y manifiestas son las obras de la carne, que son: adulterio, fornicación, inmundicia, lascivia, idolatría, hechicerías, enemistades, pleitos, celos, iras, contiendas, disensiones, herejías, envidias, homicidios, borracheras, orgías, y cosas semejantes a estas; acerca de las cuales os amonesto, como ya os lo he dicho antes, que los que practican tales cosas no heredarán el reino de Dios» (Gálatas 5.19-21). ¿Te has percatado de cuántos de los frutos de la carne están relacionados con la división? No podemos pensar en mantener el amor y la unidad en el Cuerpo de Cristo a través de nuestras fuerzas. Ni tampoco podemos esperar que nuestras vidas atraigan a otros al Reino a menos que en nosotros more aquel que produce el «fruto del Espíritu».

Capítulo 6

Cuando el amor parece algo imposible

Poco después de que Rusia invadiera Checoslovaquia en 1968, una iglesia a las afueras de Praga experimentó un terrible cisma. Cinco ancianos se pelearon, pero ninguno de ellos ganó. Como consecuencia, el rebaño se dispersó en varias direcciones. Al darse cuenta del devastador efecto de su comportamiento, estos ancianos se arrepintieron de sus acciones, pero fueron demasiado orgullosos como para acercarse el uno al otro.

Luego de algún tiempo de oración, uno de los ancianos tomó la iniciativa, se dirigió a los demás y admitió que se había equivocado. Un espíritu de arrepentimiento se movió sobre varias fracciones de la iglesia, y eventualmente se restauró la unidad y la comunión. Varias semanas después, los tanques rusos penetraron en el país. La libertad religiosa y cultural se terminó abruptamente mientras el nuevo gobierno castigaba con dureza.

En poco tiempo, arrestaron a los cinco ancianos. Las autoridades decidieron transformarlos en un ejemplo público de las consecuencias de darle demasiado lugar a las cuestiones religiosas. Un alto oficial de la policía secreta los interrogaría. Con la confianza de que podría poner a uno en contra del otro, los separó y trató de destruir la confianza entre ellos.

Para su asombro, esto no dio resultado. Cada vez que trataba de utilizar verdades a medias acerca de sucesos del pasado para dividirles, cada uno de ellos sencillamente respondía: «No creo que mi hermano haya dicho eso acerca de mí, y aunque lo hubiera hecho, ¡le perdono!»

Con el tiempo, este oficial se sintió tan frustrado ante esta respuesta inusual, que llamó a los cinco hombres a su oficina y les pidió que le dijeran por qué se amaban tanto. Antes de que pasara mucho tiempo, se encontraba sobre sus rodillas, pidiéndole a Dios que lo llenara con ese mismo amor.

Esta historia me inspira y me alienta, porque muestra a cinco hombres que habían fracasado en el área de la unidad y del compromiso, y sin embargo estaban preparados para arrepentirse y perdonarse el uno al otro. Como resultado, un fuerte lazo se formó entre ellos, que fue un poderoso testimonio para otras personas ya que inclusive había resistido la interrogación profesional.

Habían aprendido de sus errores. Nosotros, también, debemos hacerlo. En este capítulo, deseo considerar algunas de las principales causas de desunión entre cristianos.

Los celos son una actitud insidiosa que se filtra en nuestros corazones cuando quitamos nuestros ojos de Dios y los ponemos en los demás. Podemos sentir celos por los dones de otro o por su posición dentro de la iglesia o de un grupo, o del elevado perfil espiritual del ministerio de otro. La Biblia dice que no es sabio compararnos con otros (2 Corintios 10.12).

Constantemente debemos estar en guardia en contra de los celos en nuestras vidas, porque fácilmente nos puede tomar desprevenidos. Yo no me consideraba una persona celosa hasta el año pasado cuando me encontré comparándome demasiado con un amigo. Comencé deseando tener el mismo ministerio que él tenía. Cuando reconocí que estos eran celos, me arrepentí, pero me recordó que nunca estamos inmunizados contra las tácticas de Satanás, mientras intenta hacer que seamos inefectivos y trata de robarnos el gozo de servir al Señor.

Las personas ambiciosas e inseguras son particularmente sensibles a los celos. No es pecado ser ambicioso, en tanto y en cuanto nuestras motivaciones sean puras y anhelemos dar gloria a Dios. Orando al recorrer la siguiente lista, podremos descubrir si necesitamos la ayuda de Dios en esta área. Como cristianos debemos examinar nuestros corazones buscando cualquier señal de celos, y si la encontramos, debemos confesarla y pedirle a Dios que renueve nuestras mentes.

- Las personas celosas son llevadas fácilmente de aquí para allá. Sienten una gran presión por demostrar lo que saben y estar a la altura de los demás.

- Constantemente se están comparando con otros.

- No se gozan con los demás cuando estos reciben un reconocimiento o un ascenso.

- Se muestran renuentes a promover cualquier cosa que nos les beneficie directamente.

- Temen que las personas les pasen por alto, en lugar de buscar a Dios para que él les afirme.

- Se muestran hostiles y enfadados hacia aquellos de quienes sienten celos.

- Desconfían de quienes sienten celos. Se convencen a sí mismos de que merecen lo que la otra persona tiene, y de que esta persona los ha dejado a un lado a propósito.

- No pueden promover a otros por temor a que los eclipsen.

- Secretamente se regocijan cuando los demás fracasan.

El orgullo

El orgullo actúa como el ácido, erosionando lentamente todo lo que es bueno. Algunos pecados son demasiado evidentes, pero el orgullo es sutil y engañoso: «La soberbia de tu corazón te ha engañado» (Abdías 3).

Al examinar el fruto del orgullo, podemos descubrir su presencia en nuestra vida. El orgullo produce arrogancia y una autojusticia ciega. Es decir, el arrogante no puede ver su arrogancia, ¡los que están a su alrededor la ven! A una persona orgullosa no se le puede enseñar, le resulta difícil recibir corrección, y casi nunca, si es que alguna vez lo hace, admite que se ha equivocado.

En el Cuerpo de Cristo, las personas están separadas las unas de las otras no tanto porque hayan pecado, sino porque son demasiado orgullosas como para admitir que han pecado. No estamos divididos por «desavenencias teológicas», sino porque somos demasiado orgullosos como para aprender el uno del otro.

El éxito y la bendición generalmente nos llevan a la práctica mortal de la autofelicitación. Nos consideramos los escogidos de Dios, y señalamos nuestro éxito como prueba de que somos objetos especiales de su favor divino. Por lo tanto, cualquiera que se atreva a corregirnos, está equivocado. O, si es que tienen algo que decir, no podemos escucharles hasta que no abandonen su «actitud crítica».

Es más fácil escuchar y responder a alguien que viene a darnos una palabra de crítica en la forma correcta, pero aunque no tenga la actitud correcta, deberíamos tener la humildad de escucharle y considerar sus heridas y pesares.

Que Dios nos conceda la gracia de prestar atención a esta atención acerca del orgullo. La oración que transcribo a continuación me ha ayudado a exponer esta área de mi vida a la luz del Espíritu Santo:

Amado Padre celestial:

Ayúdame a recibir corrección
de cualquier persona, amigo o enemigo.
Señor, ha pasado mucho tiempo
desde que reconocí mis pecados y
estuve dispuesto a recibir corrección.
Ayúdame a aceptar el hecho
de que necesito que otros me ayuden
a ver mis pecados y debilidades.
Cuando las personas me marquen
un error, voy a orar por eso;
y cuanto más ofendido me sienta,
más oraré.

Señor, necesito aprender
de los demás miembros de tu cuerpo,
especialmente de aquellos
con los cuales no estoy de acuerdo.
Me comprometo a edificar la unidad
entre varios grupos del Cuerpo de Cristo,
particularmente con aquellos
a quienes he mirado por encima del hombro.
Estoy dispuesto a utilizar mi tiempo para
servir a estos grupos.

Padre, perdóname por mi orgullo.
Escojo, por tu gracia, caminar en humildad.
Comprendo que esto significa estar dispuesto
a que los demás me conozcan tal cual soy,
incluyendo mis debilidades y pecados.
Deseo ser dócil; deseo estimar a aquellos
a quienes alguna vez he considerado débiles.
Deseo identificarme con aquellas
partes del cuerpo de Cristo que he
menospreciado.

Ayúdame a estar más preocupado
por lo que deseas que haga a continuación,
en lugar de estar pensando

en lo que he logrado en el pasado.
Soy un siervo indigno y no merezco
alabanza o reconocimiento.
Procuraré promover a aquellos que me ignoran,
y bendecir a otros en lugar de buscar
el reconocimiento para mí mismo.

Gracias por tu perdón.
En el nombre de Jesús. Amén.

Independencia

La independencia es otra gran barrera para la unidad. Básicamente es una actitud egoísta que se expresa en la determinación de «hacerlo a mi manera». Las personas independientes están más preocupadas por lo que desean hacer que por lo que las otras personas necesitan. Son obstinados e inflexibles; corren de iglesia en iglesia buscando a alguien que esté de acuerdo con ellos en todo.

Las personas independientes realmente no se preocupan mucho por la unidad porque los consume el deseo de hacer las cosas a su manera. Se revelan en contra de los líderes espirituales porque no desean someterse a nadie. Se excusan a sí mismos hablando acerca del sacerdocio de todos los creyentes, o acusando a los líderes de autoritarismo. La independencia es una gran maldición para la unidad espiritual.

Dureza de corazón

Otro gran impedimento para la unidad es la dureza del corazón de las personas y su consecuente negación a hacer restitución cuando han ofendido a otros. La Biblia nos enseña que si hemos pecado contra alguien, no solamente debemos pedirle perdón a Dios, sino que debemos ir a quien hemos herido y pedirle que nos perdone (Mateo 5.23-24).

Cuando estamos en una relación correcta con Dios, desearemos estar en una buena relación con los demás. Tendremos una ternura de corazón que algunos llaman «quebrantamiento». Si he pecado contra alguien, o si le he herido sin darme cuenta, se puede mantener la unidad buscando a esa persona y haciendo las cosas como se deben hacer.

Si yo permito que se levanten barreras entre nosotros, aun cuando la otra persona haya cometido la falta más grave, yo estoy pecando. Dios nos insta a ir al otro: «Por tanto, si traes tu ofrenda al altar, y allí te acuerdas de que tu hermano tiene algo contra ti, deja allí tu ofrenda delante del altar, y anda, reconcíliate primero con tu hermano, y entonces ven y presenta tu ofrenda» (Mateo 5.23-24).

Muchas excusas nos vienen a la mente para impedirnos que lo hagamos. «Fue algo tan pequeño, seguramente ahora no importa», o: «La gente no me respetará si yo les digo lo que he hecho», o: «Seguramente Dios no desea ponerme en una situación tan incómoda», o inclusive: «Dios me ha perdonado. Yo no debo descubrir algo que está bajo la sangre de Jesús». Si me he acercado a la persona y esta se niega a hablar del asunto, puedo pensar: «Ahora la pelota está en su campo. No es problema mío».

Cada una de estas respuestas revela dureza de corazón o ignorancia acerca de la enseñanza bíblica con respecto a la restitución. Nuestros pecados están definitivamente bajo la sangre de Jesús cuando nos arrepentimos y le pedimos que nos perdone, pero el fruto del verdadero arrepentimiento es arreglar las cosas con aquellos contra los cuales hemos pecado, así como con el Señor Jesús. La Biblia nos enseña que cuando una persona se arrepiente verdaderamente, debe restituir lo que ha robado y pedir perdón a quienes ha ofendido (Mateo 3.8; Hechos 26.20).

Debemos pedir perdón a las personas cuando las hemos ofendido. Debemos estar dispuestos a morir a nuestra reputación, y a estar más preocupados por lo que Jesús piensa de nosotros. La gente generalmente respeta la humildad y la transparencia. A pesar de que pedir perdón implique una larga lucha, siempre vale la pena.

El exceso de ocupación

Este es un impedimento sutil pero mortal para la unidad. Hasta ahora hemos visto pecados que impiden la unidad, pero ¿te das cuenta que el exceso de ocupación también puede bloquear efectivamente la unidad? La unidad se construye a través de la relación, no de los cargos, y toma tiempo construir relaciones. Podemos estar ocupados sirviendo al Señor, pero sin embargo podemos estar dejando de lado la construcción del amor y la unidad. ¿Por qué? Porque Dios está interesado en mucho más que excelentes publicaciones y grandes reuniones. El desea más, mucho más que iglesias llenas de personas los días domingos.

La unidad se puede secar y se puede morir; se la debe cultivar con oración y se la debe regar con momentos de comunión. Si eres una persona con muchas ideas, te sentirás tentado a fomentar grupos de oración unidos, conferencias unidas, etc., pero probablemente lo más grande que puedas hacer por la unidad sea dar un paso hacia atrás, y permitir pacientemente que la unidad crezca cultivando una relación profunda y duradera.

Varios años atrás, algunos hombres de nuestra misión en Amsterdam nos encontrábamos comiendo juntos. Conversando alrededor de la mesa, descubrimos que todos nosotros estábamos experimentando los mismos sentimientos de frustración acerca del nivel superficial de nuestras amistades y compañerismos. Luego de un tiempo de oración, nos comprometimos a tener un nuevo nivel de apertura en nuestras relaciones.

Todos estábamos muy entusiasmados, y yo deseaba hablar inmediatamente con todo mi equipo de colaboradores para contarles nuestro compromiso. Afortunadamente, alguien en el grupo fue lo suficientemente sabio como para sugerir que probablemente deberíamos cancelar algunas reuniones con nuestro equipo en lugar de añadir más.

Eso fue lo que hicimos. Detuvimos un poco el ritmo de nuestra actividad y oramos para que Dios hiciera en los corazones de nuestros compañeros de trabajo lo que había hecho en los nuestros. ¡Y así fue! La gente comenzó a notar que pasábamos más tiempo juntos, y ellos también comenzaron a orar más juntos y a disfrutar más relajados de tiempos de comunión. Desde aquel entonces, ha habido un notable cambio en nuestra comunidad.

Es esencial que establezcamos nuestras prioridades para dejar el tiempo libre que necesitemos para construir fuertes relaciones que estén en pro de la unidad. Necesitamos pedirle a Dios que nos revele su plan y que nos muestre aquellas cosas que desea que sacrifiquemos para desarrollar nuestras relaciones con otros. Las personas deben ser más importantes para nosotros que los programas; la calidad debe primar por sobre la cantidad, y nuestras familias deben estar antes que las otras personas.

Hace un año atrás, Sally y yo descubrimos que estábamos comenzando a resentirnos en contra del trabajo en el que estábamos involucrados; de alguna manera, el gozo se había perdido. Sentimos que habíamos perdido el control de nuestras vidas y que los compromisos nos estaban controlando en lugar de ser a la inversa. Vivíamos y trabajábamos en el mismo edificio y no podíamos alejarnos de las constantes demandas que pendían sobre nosotros.

Por lo tanto, nos pusimos de acuerdo en hacer algunos cambios con respecto a cómo tomar decisiones, y dimos algunos pasos prácticos para separar nuestra vida familiar del trabajo. Comenzamos a planificar nuestros tiempos libres para que la familia no se sintiera oprimida. Oramos, pidiéndole al Señor que restaurara esta área de nuestras vidas. La oración, la planificación, algunos pasos prácticos y una refrescante vacación dieron sus resultados. Ahora

disfrutamos de nuestro trabajo más que nunca. No solamente tenemos suficiente tiempo para estar junto a aquellos con los cuales deseamos estar, sino que parecería que
estamos en condiciones de alcanzar más cosas también.

¿Será tiempo de que evalúes tus prioridades y traigas
algunas cosas bajo control?

Capítulo 7

El amor firme

El verdadero amor desea lo mejor para los demás. El verdadero amor no solamente es tierno, sino que también debe ser firme. Debemos ser firmes en nuestras convicciones, pero tiernos al expresarlas a los demás. Esto significa involucrarnos con personas difíciles, afrontando a quienes nos han herido y deteniendo a aquellos que tratan de utilizarnos. Implica disciplinar amorosamente a aquellos que han caído en pecado, y esperar un mayor nivel de responsabilidad entre nuestros hermanos y hermanas cristianos. La palabra «iglesia» pierde credibilidad cuando no estamos dispuestos a comprometernos los unos con los otros y a ser responsables por nuestras actitudes y acciones. Es difícil encontrar el equilibrio adecuado entre firmeza y ternura, y la mayoría de las veces lo aprendemos a los golpes.

Roberto, abatido por la depresión, la inseguridad y el temor, vino a pedirnos ayuda. Cada vez que veíamos las cicatrices en sus muñecas, recordábamos la seriedad de la situación. Si no teníamos cuidado, tendríamos un suicidio en nuestras manos. Lo que nosotros no sabíamos era que Roberto deseaba que pensáramos exactamente eso. Al comienzo todo iba bien, pero a medida que pasaba el tiempo nuestras energías y nuestros planes comenzaron a girar en torno a sus deseos y necesidades. Si las cosas no se hacían como a él le parecía, comenzaba a dar puñetazos, diciendo que nosotros en realidad no deseábamos ayudarle y amenazaba con suicidarse. En varias ocasiones intentó hacerlo.

La responsabilidad de tenerle bajo nuestro cuidado pesaba fuertemente sobre nosotros. Nos quitaba el gozo y el sentido de comunidad. Finalmente me di cuenta de que debíamos hacer algo al respecto, pero no estaba seguro de qué hacer. Sin embargo, una cosa tenía por segura, ¡no deseaba tener su sangre en mis manos!

Afortunadamente, un amigo y maestro de la Biblia vino a visitarnos y nos ayudó a resolver la situación. Nos señaló que nos estábamos dejando manipular, y que la meta suprema de nuestro ministerio no era mantener feliz a Roberto a cualquier costo. En realidad, no le estábamos amando si le permitíamos que nos aplastara.

La confusión se disipó. Pude ver que, en nombre del amor, en realidad estábamos recompensando y alentando su comportamiento inmaduro y manipulativo. Teníamos que desafiarlo. Le dije que lo amábamos y que haríamos todo lo que fuera razonable para verle sano, pero que en el futuro lo haríamos de una manera diferente. Le expliqué que de ahora en adelante solamente podría quedarse para recibir ayuda para sus problemas, sobre las bases que nosotros fijáramos. Si se quitaba la vida, esa era su responsabilidad, no la nuestra; él tendría que responder delante de Dios. Si deseaba ayuda, y si nosotros veíamos una apertura en su actitud y el deseo de crecer espiritualmente, le ayudaríamos a tratar sus problemas.

En un comienzo fue difícil para Roberto y también para algunos de nuestros amigos que estaban motivados por la misericordia. Sin embargo, al estudiar la Palabra de Dios juntos, vimos que el amor implica santidad así como misericordia y compasión. El verdadero amor significa estar firmes sobre los principios de la santidad de Dios. Un compromiso de esta naturaleza no se encuentra fácilmente en el mundo de hoy adonde la tolerancia, la amplitud de criterio y el hacer la propia voluntad son cosas muy importantes, aun cuando para ello se deba sacrificar la integridad. Las soluciones pueden parecer atractivas, pero generalmente son superficiales.

Muchas personas tienen la misma actitud manipulativa y demandante de Roberto. Podemos cruzarnos con ellos en nuestro trabajo, en nuestro vecindario, en nuestro club o en la iglesia. En esta última, la manipulación destruye el amor y la unidad. Debemos aprender a reconocerla y afrontarla, ya sea en las íntimas relaciones de nuestro matrimonio, o en las relaciones con las demás personas.

La manipulación es cualquier intento de controlar, obligar, utilizar o tomar ventajas de otros a través de medios deshonestos e injustos. Las personas inseguras lo utilizan para destacarse delante de los demás. Las personas frustradas u orgullosas lo utilizan para controlar a los demás, o para manejar las cosas de manera que les proporcionen ventaja, mientras que las personas poderosas la utilizan para llegar a la cima. Las personas impacientes generalmente tienden a manipular a los demás, creyendo que los resultados son más importantes que la multitud de personas que queda en el camino.

La manipulación puede ser evidente o sutil, basada en insinuaciones calculadas, expresiones faciales preconcebidas o en un cuidadoso planeamiento. Para algunos es un hábito inconsciente, mientras que otros recurren a ella únicamente cuando se encuentran bajo presión.

La manipulación a través de la lástima

Esta clase de persona trata de ganar la simpatía de los demás mostrándose débil, necesitado o incomprendido. Utiliza la enfermedad, la depresión, las amenazas y todo lo que haga que la gente sienta lástima de él. Generalmente

viene como la víctima herida, utilizando heridas del pasado para demandar ayuda. Estas personas parecen ser muy
débiles hasta que te pones en contra de su voluntad;
entonces explotan en una erupción de ira. Roberto frecuentemente recurría a esta clase de comportamiento. El
disfrutaba manteniendo a todos en suspenso, sin que su-
pieran qué era lo que iba a hacer a continuación.

Inicialmente, nuestra respuesta reforzó este comportamiento manipulativo de Roberto. Sin embargo, una vez
que reconocimos dónde estaba el problema, pudimos desa-
fiarle y tratar con él. Podríamos haber permitido que siguie-
ra adelante, engañándonos a nosotros mismos pensando
que la nuestra era una respuesta de verdadero amor cristiano. Por el contrario, la respuesta más amorosa en esta clase
de situación es la confrontación. Roberto necesitaba que lo
confrontaran con su comportamiento para verlo tal cual
era. Sólo entonces pudimos comenzar a tratar con él.

La manipulación a través del poder

Esta clase de personas utilizan la fuerza neta de su personalidad para aplastar al oponente. Si las cosas se hacen a
su manera, él encaja bien dentro de la sociedad, pero si no
se hacen así se torna dogmático y dominante. Generalmente se olvida por completo de qué ha hecho para empu-
jar a los demás a la sumisión.

Estas personas están convencidas de que saben qué es
lo mejor, y por lo tanto tienden a no escuchar y casi nunca
piden disculpas. Disfruta corrigiendo a los demás y seña-
lándoles sus faltas, utilizando generalmente comentarios
maliciosos o bromas cáusticas en el proceso.

Los «espirituales» que manipulan a través del poder se
basan en el hecho de que las personas se rehusan a contra-
decir lo que Dios dice, por lo tanto pretenden tener una guía
especial de él. ¿Qué es lo que dices cuando alguien anuncia
que el Señor le ha autorizado a hacer algo que no se

complementa con la visión global del grupo o de la iglesia? Aquí pueden surgir problemas de división. Alguien trata de utilizar sus dones espirituales para obligar a las personas a someterse a él o a realizar tareas desagradables que a él no le gusta realizar.

En 1 Samuel 15.23 encontramos: «Porque como pecado de adivinación es la rebelión, y como ídolos e idolatría la obstinación». Esto bien podría referirse a aquellos que utilizan sus dones espirituales para controlar a otros. En el contexto de este pasaje, Saúl había utilizado sus dones espirituales para llevar a toda una nación a la desobediencia, pero cuando Samuel lo interrogó, rápidamente acusó a sus subordinados por haberle instigado a la desobediencia. El versículo citado previamente es parte de esta respuesta de Samuel.

Una clara señal de una persona que manipula espiritualmente es la intimidación que produce en los demás al punto de hacerles sentir molestos o temerosos de desafiar la posición del otro. Por amor al cuerpo de Cristo, se debe desafiar a estas personas y hacerles tomar conciencia de su responsabilidad por esta influencia manipulativa sobre los demás.

Quienes manipulan a través del poder, pueden utilizar el enojo para controlar a los demás. Después de todo, ¿a quién le gusta encontrarse continuamente con una tormenta de ira al hacer una sugerencia? Es mucho más fácil darse por vencido, y normalmente, esto es lo que hace la gente. Tristemente, por lo general piensan que soportar es la única respuesta «cristiana» al problema.

El que manipula diciendo: «deseo servirte»

¿Alguna vez has conocido a alguien que te ha preguntado cómo estás, sólo para encontrarte con que esa persona está utilizando tu respuesta honesta para analizar tus problemas, o para imponerte las manos o para orar por ti? En realidad, se está metiendo en tu vida sin invitación y con dudosos motivos. Es probable que esté ofreciéndote un servicio para crear una obligación o un sentido de dependencia que te hará sentir en deuda con él de una manera insana. El tuerce sus caminos para encontrarse en situaciones que le lleven más cerca de los líderes espirituales o de aquellos que se encuentran en autoridad. Una vez que se encuentra allí, se esconde detrás de una fachada espiritual pretendiendo ser un siervo en lugar de estar logrando lo que él desea.

Juan llegó en un momento en el que estábamos bajo el peso de gran cantidad de trabajo, y se ofreció para aliviarnos la carga de cualquier manera que fuera posible. Insistía en que estaba allí para servirnos a nosotros y a su ministerio. Las dos primeras semanas fueron grandiosas, hacía lo imposible por ayudarnos y por trabajar en la oficina. Cuando comenzamos a conocerle mejor, nos preguntó si podíamos dedicar algún tiempo para aconsejarle. Yo acepté, a pesar de mi cargada agenda; después de todo, él nos ayudaba mucho.

Al término del primer mes, me encontré diciéndole a Sally que realmente deberíamos hacer esto o aquello por Juan, preguntándome si realmente sería feliz y si yo estaría pasando suficiente tiempo con él. Fue entonces cuando caí en la cuenta de lo mucho que se había trastornado la situación. Inicialmente Juan había venido insistiendo en servirnos, pero ahora tomaba más tiempo de nosotros que el que nos ofrecía en ayuda. No era que no queríamos ayudar a Juan, pero él no había sido honesto con nosotros. Nos había manipulado pensando: «Yo hago esto por ustedes, por lo tanto ustedes hagan esto por mí».

Es fácil utilizar esta forma de manipulación en el matrimonio. Bajo la premisa de «honrar» a nuestro cónyuge, podemos manipularle para obtener lo que realmente deseamos. Yo puedo necesitar una nueva chaqueta, pero en lugar de hablar abiertamente acerca de la necesidad, le ofrezco a mi esposa llevarla a comprar un nuevo vestido. Luego de haberla alentado a gastar diciéndole cuánto la amo y que yo deseo que tenga lo mejor, casualmente pasamos frente a «mi» chaqueta. Como ella tiene un nuevo vestido se siente acorralada para estar de acuerdo con la compra de mi chaqueta. En lugar de irme de vuelta a casa sintiéndose especial, ella se siente manipulada y utilizada.

La manipulación a través de la información

Como se dice habitualmente, la información es poder, y en ciertas situaciones, retener información puede tener una gran influencia en el desenlace. Todos hemos experimentado el sentimiento de injusticia que tenemos cuando alguien da un informe acerca de nosotros que está incompleto o torcido para cambiar la visión de las personas frente a una determinada situación. Es técnicamente posible decir la verdad acerca de una persona o de una situación, sin ser del todo veraz. La promesa de «decir la verdad, toda la verdad y nada más que la verdad» lo debe haber escrito alguien que entendía muy bien la naturaleza humana. Cuán fácil resulta inclinar un asunto a nuestro favor seleccionando las partes de la verdad que contamos. Esta selección está a millones de kilómetros del correcto deseo de no destruir a alguien con «completa honestidad» (ver capítulo cuatro).

A algunas personas les encanta sacarnos información acerca de situaciones o personas, para utilizarla luego fuera del contexto, ya sea para acorralarnos o para poner a otros a favor de su causa. No hay nada peor que escuchar algo que hemos dicho de buena fe, distorsionado de una manera destructiva.

Es probable que indaguen acerca de cómo nos sentimos con respecto a alguien, lo cual planta semillas de duda en nuestras mentes. Algunas veces la información se imparte para oscurecer conversaciones o relaciones que aventajen a la persona, en tanto que otras, pueden retener la información para mantener el control de posiciones, de relaciones, o de empleos.

Como estas distintas formas de manipulación se han identificado, debes ser consciente de alguno de sus tratos en tu propia vida. Si esto es así, no te desanimes; el primer paso para salir de un comportamiento manipulativo es reconocerlo. Pídele a tu Padre celestial que te ayude a vencer honestamente esta debilidad, y permite que la luz del Espíritu Santo te revele los verdaderos motivos. Arrepiéntete por la manera en que has utilizado a otros para tus propósitos, y pídele perdón a aquellos a quienes has lastimado. Para impedir que esto se vuelva a repetir, especialmente si ha estado en tu vida por años, busca la ayuda de santos varones y mujeres que se comprometan a disciplinarte en esta área. Confiesa el problema a las personas a quienes más les afecta tu comportamiento. Finalmente medita lo que dicen las Escrituras acerca de los que tienen motivaciones limpias: «Bienaventurados los de limpio corazón, porque ellos verán a Dios» (Mateo 5.8). Cultiva la sencillez infantil en tus pensamientos y comportamiento y niégate a adoptar actitudes manipulativas hacia los demás.

Si eres padre, podrás ver algo, o todo, de este comportamiento en tus hijos. La manipulación comienza desde muy temprano. Fíjate en un niño de cuatro años que no desea comer su comida: las caras que hace, el dolor de estómago, las grandes lágrimas de cocodrilo, los reproches tales como: «Si me amaras, no me harías comer esto», o: «La mamá de Pedro no le obliga a comer arvejas». Todas estas son brillantes técnicas manipulativas. ¿Qué me dices cuando llega la hora de irse a dormir y a Susy le sobreviene la urgencia de ayudar a lavar los platos o de realizar otra tarea doméstica? Si ignoramos este comportamiento, no les hacemos ningún favor a nuestros hijos. Debemos llevarles desde temprana edad a vivir de una manera santa (Proverbios 22.6). Si les permitimos a nuestros hijos establecer un comportamiento manipulativo recompensándoles, o no confrontándoles con él, estamos cometiendo una gran injusticia por la cual no nos agradecerán más tarde.

El cuerpo de Cristo también debe estar abierto a desafiar a quienes manipulan. Lo que se necesita es amor firme en acción, no seguir el camino más fácil. ¿Cómo lo logramos? En primer lugar, debemos perdonar a los demás por la influencia que han tratado de ejercer sobre nosotros. También debemos observar atentamente nuestras motivaciones y reacciones (es muy fácil responder a la ofensiva utilizando las mismas tácticas). Debemos resistir y responder en el espíritu opuesto. Recuerda que aquellos que utilizan los métodos de manipulación, frecuentemente han sido víctimas ellos mismos de personas manipulativas, por lo tanto no permitas que este ciclo se perpetúe a través de ti.

Si sospechamos que nos están manipulando, debemos ir al fondo de la situación para el bien de todos los que están involucrados. Existen muchas maneras apropiadas para hacerlo. Tal vez requiera simplemente que encontremos los dos extremos de una historia para asegurarnos de que tenemos toda la verdad. Puede implicar el pararnos firmemente en una posición acerca de un asunto, en lugar de tomar el camino de la resistencia leve. Si la manipulación es seria, lo mejor que podemos hacer es compartir lo que ha sucedido con un pastor o con un líder de iglesia y permitirle que él sea el que trate la situación. Sea cual fuere el caso, si la manipulación sigue sin que nadie la detenga, traerá desconfianza y sospecha, haciendo que las personas tengan temor unas de otras y trabando la comunicación a través del miedo a ser mal interpretado.

Toma decisiones que estén basadas en principios y no en presiones. Esto es particularmente difícil si eres una persona indecisa e insegura. Es probable que necesites conversar con un amigo para determinar de qué manera actuarás en un determinado asunto. Si te toman de sorpresa, no te apresures. Permite que el tiempo te distancie del problema inmediato, para que puedas pensar, orar y buscar consejo si fuera necesario. Si tú debes tomar la responsabilidad de la decisión, asegúrate de que sea la correcta.

Si se toleran las luchas y la competencia, entonces el aliento, el aprecio, el servicio y la honra de los unos para con los otros queda relegado a los últimos lugares, mientras que la crítica y el sectarismo toman el primer lugar. Si la manipulación no se detiene, es un camino seguro para demoler la unidad.

La manipulación a través de los medios cristianos.

Lamentablemente, existen quienes en el ambiente cristiano utilizan su posición para manipular a creyentes incautos. Los mismos programas de televisión o de radio, o libros que transmiten el evangelio, también pueden sacar a luz los «trapitos sucios» de la cristiandad. Algunos encumbrados cristianos han asumido el rol de «perros guardianes de la fe», denunciando públicamente a otros creyentes con los cuales están en desacuerdo. Utilizan sus plataformas para estimularnos a la desunión con aquellos que a veces ni siquiera conocemos. Utilizando pedazos seleccionados de la verdad, el poder de sus personalidades y la premisa de que están «sirviéndonos» haciéndonos ver un error, traen vergüenza al nombre de Cristo y ruina a sus siervos. Ellos creen que el ministerio que Dios les ha dado es hacer que la iglesia tome conciencia de las peligrosas doctrinas y tendencias antibíblicas, y al hacer esto, públicamente hieren y humillan a aquellos que según ellos están en error. Atraen seguidores heridos y desilusionados, a quienes les encanta escuchar cosas que alimenten sus propios prejuicios y amarguras.

Dios nos pedirá cuentas de toda palabra ociosa o crítica

que emitamos, y la Escritura subraya los peligros de una persona peleadora y divisionista tanto como los de aquellos que poseen inconsistencia doctrinal. En Efesios 4.29-32, Pablo nos insta a hablar solamente aquello que ayude y edifique al oyente. Plantar semillas de duda acerca de la integridad de otros en el cuerpo de Cristo se iguala a atacar al mismo Señor (1 Corintios 3.16-19), y Gálatas 5.15 nos advierte: «Pero si os mordéis y os coméis unos a otros, mirad que también no os consumáis unos a otros».

Existe una tremenda diferencia entre una advertencia concerniente al extremismo doctrinal y llamar a las personas herejes, o lo que es peor aún, dar a entender que algunos están entrando en el plano de lo oculto porque hacen cosas con las cuales no estamos de acuerdo, o porque describen sus creencias en términos que no nos resultan familiares. Obviamente la doctrina debe ser bíblica, pero se necesita un gran cuidado al rotular a los individuos de herejes o falsos profetas.

La Biblia habla claramente de que no debemos involucrarnos en corregir los problemas de otra persona a menos que estemos personalmente relacionados con él a través de la redención. A menos que la persona sea probadamente un falso profeta o un peligroso engañador, no se le debería acusar públicamente. Aunque sea necesario discutir ideas y doctrinas, debemos evitar el juzgar a los individuos.

El amor firme no es otro nombre para destrozar a alguien que no nos agrada. Es trágico ver las cosas que se hacen en nombre del amor al hermano. He visto libros que han destruido la credibilidad de otros creyentes y han sembrado la duda y la sospecha en otros grupos. Allí están, a la venta en vidrieras cuyo propósito supuestamente es evangelístico. Si alguien que no es cristiano lo comprara, ¿qué pensaría? ¿Lo atraería más de cerca a la verdad, o lo apartaría completamente? Antes de traer los asuntos «familiares» a la arena pública, deberíamos hacernos algunas preguntas serias acerca de nuestra motivación y de los efectos que tendrá sobre quienes lo lean o escuchen.

La iglesia no necesita profetas que hablen con dureza y con falta de cuidado hacia quienes ataca. Los profetas del Antiguo Testamento que llamaban al arrepentimiento, lo hacían quebrantados y en humildad, muchas veces llorando por el pecado que afrontaban. Se identificaban plenamente con aquellas personas a quienes Dios les había enviado a advertir, en lugar de colocarse por encima de ellos elevando acusaciones en su contra —actitud que prevalece demasiado hoy en día. Necesitamos profetas quebrantados; hombres y mujeres que hayan escuchado la voz de Dios y que llamen a su iglesia a la santidad y al amor.

Permanezcamos juntos en verdadero amor y unidad como hermanos y hermanas cristianos demostrando al mundo la presencia y el poder de Cristo. Apartémonos de la manipulación de la información y de las actitudes críticas que tantas veces crean una grieta en el cuerpo de Cristo. En cambio, decidámonos a luchar por la unidad y en contra de la división, y que aquellos que sienten que Dios los ha llamado a corregir a otros en la arena pública, lo hagan en humildad y quebrantamiento.

Capítulo 8

Cuando se toman decisiones

No hay nada que saque a la luz la naturaleza caída del hombre, como una pelea cuando toda la iglesia está reunida. Las reuniones anuales de finanzas, las reuniones administrativas y los encuentros de líderes, parecen ofrecerle una mayor oportunidad al diablo que a Dios. Los principios de amor, aceptación y unidad se tiran por la borda y las reuniones se convierten en un desorden a voluntad popular. Las personas llegan blandiendo estadísticas y otros detalles necesarios para apoyar sus posiciones, o, con un monopolio autofabricado de la voluntad de Dios acerca de la situación, que se utiliza como excusa para no escuchar y respetar las opiniones de los demás.

En las típicas reuniones cristianas donde se debe tomar alguna decisión, generalmente se utiliza uno de los siguientes enfoques.

1. El enfoque competitivo

Aquí toma lugar la política, y se utiliza todo lo que ayude a lograr el objetivo de que una determinada idea sea aprobada. Se puede utilizar la manipulación, las tácticas de presión y toda clase de maniobras. La oración es una formalidad, y si alguien sugiere que Dios desea hablar directamente con su pueblo acerca de la decisión, esto se recibe con mucha incredulidad.

2. El enfoque conflictivo

En este enfoque las personalidades fuertes son las que dominan. Los asuntos se ven blanco o negro, y las decisiones se tornan en propuestas de «esto o lo otro». No existe el término medio, o bien, yo estoy totalmente en lo cierto y tú estás equivocado, o viceversa. Esto resulta frecuentemente en una atmósfera emocionalmente cargada en la cual predominan el orgullo y la obstinación. En estas situaciones, en las cuales «gana» el elemento más persuasivo y todos los demás «pierden», se genera más calor que luz. La oración se toma seriamente, pero muchas veces se ora para que los demás vean las cosas como «yo las veo».

3. El enfoque constructivo

Esto sucede en las reuniones de hombres maduros y de alto nivel intelectual (y algunas veces mujeres sabias) en las cuales se construye cuidadosamente la voluntad de Dios mediante el sentido común, los buenos principios de negocios, y el «juego limpio de los caballeros».

Mucho es lo que se podría decir acerca de este enfoque para tomar decisiones, pero la debilidad medular que posee es la tendencia a confiar demasiado en la sabiduría y en los recursos humanos para llegar al mejor plan. Mediante la oración se busca meramente que Dios ponga su sello de aprobación en la decisión que ya se ha tomado, sin permitirle su ingerencia durante el proceso. El intelecto puede estar fácilmente sobre todo, inclusive sobre la voz del Espíritu Santo.

4. El enfoque por retirada

Pensé en este término luego de observar a aquellos que son tan espirituales que se evaden de la realidad. Le echan toda la responsabilidad a Dios, y se tornan tan «celestiales» que en la tierra no sirven.

Con toda seguridad creen en la oración. Muchas veces han orado y han recibido la respuesta «correcta», por lo tanto les parece que no necesitan escuchar a los demás. Lamentablemente, se han olvidado que la Biblia nos dice que debemos amar a Dios con nuestras mentes, lo cual implica que no debemos «dejarlas colgadas junto con nuestro sombrero y nuestro abrigo», como me dijo una vez un pastor agregando: «Venimos aquí a adorar a Dios, no a pensar».

Cada vez que se debe tomar una decisión que afecta al grupo de la iglesia, existe potencial para las heridas, el enojo,la amargura, la desconfianza y la ruptura de la unidad. Consciente de esto, cada vez más aprecio la necesidad del equilibrio. Al tomar decisiones necesitamos una combinación del reconocimiento de la soberanía de Dios, de escuchar diligentemente su voz, de escudriñar la Biblia para descubrir lo que él ya ha dicho, buscando el consejo de santos hombres y mujeres, y pensando las implicaciones prácticas de la decisión.

A esto yo le llamo *enfoque cooperativo*. Se basa en la creencia de que las personas son más importantes que los programas; en que el mantener la unidad para Dios es tan importante como la decisión en sí, y en que «cuando los hermanos habitan juntos en armonía... allí envía Jehová bendición» (Salmo 133).

Pablo enfatiza la importancia de la unidad en 1 Corintios 1.10: «Os ruego, pues, hermanos, por el nombre de nuestro Señor Jesucristo, que habléis todos una misma cosa, y que no haya entre vosotros divisiones, sino que estéis perfectamente unidos en una misma mente y en un mismo parecer».

Pablo no está sugiriendo que debemos estar de acuerdo en todos los detalles, sino que deberíamos tener un espíritu de acuerdo que trascienda nuestros desacuerdos.

Si vamos a llegar a ser de una misma mente, debemos tener un mismo corazón. Sin embargo, el tener la mente de Cristo (Filipenses 2.5) no necesariamente significa que tengamos la respuesta correcta, sino más bien la actitud correcta. Significa dejar de lado nuestras necesidades y honrar a los demás por encima de nosotros mismos. Si no tenemos una actitud como la de Cristo, particularmente hacia aquellos con los cuales no estamos de acuerdo, no podemos alcanzar una decisión aceptable ante Dios.

La esencia del enfoque cooperativo

1. El compromiso de los unos para con los otros

En Hechos 15.1-5 existe un conflicto. Los hermanos han venido desde Jerusalén hasta Antioquía diciendo que los gentiles no pueden hacerse cristianos a menos que obedezcan la ley judía. Naturalmente, la iglesia de Antioquía, que no es judía, se siente muy triste. Sin embargo, no echaron a los mensajeros y decidieron continuar como un grupo independiente y desconectado. En cambio, dieron algunos pasos positivos y trataron de resolver la situación.

Estaban comprometidos con la iglesia de Jerusalén, por lo tanto, enviaron a Pablo y Bernabé en un intento por tratar de resolver aquella tensión. En lugar de apartarse al enfrentar esta intromisión en su vida de iglesia, se acercaron más a sus hermanos en Jerusalén. Estaban comprometidos a buscarle la vuelta para encontrar una respuesta al conflicto.

La tendencia humana, cuando nos hieren o cuando estamos en desacuerdo con otras personas, es apartarse y romper la comunión. Pero estos creyentes estaban tan comprometidos los unos con los otros, inclusive al enfrentarse a un profundo desacuerdo, que no se dieron por vencidos, no perdieron la esperanza, no se amargaron ni comenzaron a criticar, ni se apartaron. Cuando enfrentamos desacuerdos, también nosotros debemos ir a nuestros hermanos y hermanas con apertura, amor y en una actitud perdonadora, y tratar la cuestión hasta llegar a una solución.

2. Liderazgo responsable

En Antioquía, los líderes de la iglesia aceptaron la responsabilidad de resolver el conflicto (Hechos 15.6). Debemos aceptar la autoridad de la iglesia, si es que deseamos que haya unidad en la iglesia, y especialmente unidad en el área de la toma de decisiones.

El liderazgo espiritual de un grupo o iglesia tiene la responsabilidad final, delante de Dios, por las decisiones que se toman y la dirección y la vida de la iglesia. Las escrituras claramente nos indican que debe haber autoridad espiritual (Hechos 20.28; 1 Tesalonicenses 5.12; 2 Timoteo 2.24-25; 4.2; Tito 1.5-7; 1 Pedro 5.1-5; Hebreos 13.17), y que esa autoridad es responsable para guiar y gobernar al cuerpo de Cristo.

Sin embargo, aquella autoridad, no debía verse en términos de posición sino de relación. En otras palabras, la verdadera autoridad espiritual es la suma total de todo lo que una persona es en Cristo: madurez, experiencia, sabiduría, carácter, motivación, obediencia a la Palabra y dones, y no reside en una posición o título en particular. Si una persona tiene que recurrir a su título o posición para tener autoridad, entonces, en realidad, la ha perdido.

La autoridad espiritual no debería verse como una responsabilidad o derecho exclusivo que le otorga al líder la prerrogativa de decirle a las personas lo que deben o no deben hacer en sus vidas personales. Por supuesto, los líderes deberían preocuparse por el bienestar personal de las personas y deberían amarles lo suficiente como para confrontarles cuando se encuentran en pecado. Pero es responsabilidad del individuo el tomar decisiones en su propia vida, aun cuando al liderazgo le parezca que está equivocado.

La autoridad bíblica se basa en la relación. Se caracteriza por la confianza, el amor y el servicio. Cuando las relaciones se arruinan, sea cual fuere la razón, la autoridad se pierde. Si en esta situación se trata de forzar una decisión, se está utilizando el poder carnal y no la autoridad espiritual. La autoridad se ofrece, no se impone. Se manifiesta sirviendo, no obligando a través de la manipulación y del pesado control.

Los líderes sabios y responsables serán pioneros, señalando la dirección en la cual se debe ir y también estarán en contacto con los miembros del cuerpo, incluyéndolos en las decisiones importantes. Santiago tenía una posición de autoridad en la iglesia de Jerusalén, pero él decidió involucrar a toda la iglesia en el proceso de tomar las decisiones (Hechos 15.13-22).

Cuando un líder no dirige, o cuando no se confía en la gente incluyéndola en el proceso de tomar decisiones, se produce un deseliquibrio en el balance espiritual de una iglesia. Un líder sabio debe estar al frente, señalando la dirección a seguir, pero no debe adelantarse tanto como para perder el contacto con la gente. Ninguno de estos extremos es bueno; el líder no simplemente debe dar órdenes, ni tampoco la congregación debe gobernar a través de los votos.

3. *Relaciones correctas*

Si va a existir unidad en la toma de decisiones, entonces

todos aquellos que estén involucrados deberán estar en buenas relaciones los unos con los otros. Los conflictos y las heridas que no se han resuelto y la falta de quebrantamiento o arrepentimiento por las heridas causadas a los demás, son todas cosas que levantan paredes y, lo que es más importante aún, constritan al Espíritu Santo.

Podemos buscar excusas para no ir a los demás cuando existen conflictos de personalidades, pero el Espíritu Santo no acepta los conflictos entre los creyentes. Las diferencias de personalidades sí, pero los conflictos no.

Resulta tentador vivir con estos conflictos «naturales» evitando a la persona que nos molesta e ignorando los avisos del Espíritu Santo de arreglar estas situaciones. Generalmente culpamos a los demás por el conflicto, omitiendo toda responsabilidad de ir y solucionar las cosas. Pero para que exista un conflicto se necesitan dos personas.

El hecho de que exista un conflicto señala la necesidad de crecimiento espiritual. Si nos damos cuenta de esto, aceptaremos los conflictos como oportunidades para tratar con áreas de debilidad en nuestro carácter y de esta manera poder parecernos más a Cristo. No hay conflicto del cual no podamos aprender cuando aceptamos esta responsabilidad y nos preocupamos por salvar las diferencias. ¿Realmente esperamos que Dios nos guíe como grupo si no le estamos honrando con nuestras relaciones?

4. Una misma visión

Es absolutamente esencial tener una clara visión como grupo. Como dice en Amós 3.3: «¿Andarán dos juntos, si no estuvieren de acuerdo?» Debe haber una clara comprensión de la dirección básica y de los principios de acción en un grupo o iglesia. Si esto no existe, tropezarán. La ausencia de una visión clara del Señor y de su declara-

ción de parte del liderazgo, creará un vacío que muchos se
sentirán tentados a llenar.

5. Sumisión de corazón

Debemos tener un corazón sumiso que apoye cualquier
decisión que tome el grupo, en tanto y en cuanto no sea
inmoral o carente de ética. Luego de someter nuestras
convicciones con respecto a un asunto, debemos confiar
en que Dios guiará a los líderes y al grupo a tomar la
decisión correcta. Es posible no estar de acuerdo y seguir
estando unidos, porque la unidad es una cuestión de actitud del corazón y no un acuerdo absoluto.

En la unidad se toman decisiones cuando existe un
común entendimiento de la voluntad de Dios. Cuando
existe un desacuerdo en cuanto a lo que es la voluntad de
Dios en una situación, los líderes del grupo deberían pedirle más oración a la gente. Deberían pedirle a Dios que diera
al grupo una nueva perspectiva para clarificar su voluntad.

Esto se puede hacer solamente cuando cada persona
cree que Dios, en su sabiduría, no le dará a una sola persona
la total comprensión de lo que está bien. Cada uno necesita
de la contribución de los demás para conocer la voluntad
de Dios.

Por supuesto, algunas veces las personas se equivocan,
y es por eso que debe existir sumisión de corazón al Señor,
los unos para con los otros.

6. Buena comunicación

Nuestra prioridad número uno es tener una buena comunicación con el Señor. Muchos de nosotros no estamos
adecuadamente preparados para una «discusión espiritual» hasta que no hayamos tenido un tiempo de oración.
¿Cuántas veces has reaccionado de manera adversa a una

propuesta, sólo para descubrir que luego de orar y reflexionar tienes una perspectiva completamente diferente al respecto?

La oración nos permite morir a nuestros propios pensamientos y deseos. Nos da tiempo para leer la Palabra y para buscar a Dios descubriendo así su punto de vista sobre este asunto. También le permite a Dios mostrarnos su carga acerca de una situación. Muchas veces nos inclinamos prematuramente por una decisión porque no hemos permitido que Dios toque nuestros corazones con su amor y compasión por aquellas personas a quienes afecta la decisión. La suavidad del corazón generalmente trae una perspectiva completamente diferente acerca de una situación.

También deberíamos cultivar una buena comunicación los unos con los otros. Esto debe incluir la enseñanza para saber cómo tomar decisiones importantes juntos, de acuerdo con los principios bíblicos. Una vez que los miembros del grupo se hayan puesto de acuerdo acerca de los principios básicos de la decisión que debe tomarse, apoyarán ese proceso más cabalmente y comprenderán la parte que les toca en él. Pensarán y responderán en una manera más madura.

Si unos pocos individuos tienden a arruinar la conversación y la toma de decisiones debido a su inmadurez y a su espíritu divisionista, se les debería corregir en privado. Se les debería explicar la manera adecuada de participar en la toma de decisiones colectivas. Es probable que sea necesario pedirles que se mantengan en silencio hasta que estén en condiciones de participar de una manera madura. No pongas reglas que restrinjan a todo el grupo por causa de unas pocas personas.

Los líderes deben ayudarle a las personas a comunicarse. Algunas veces los más silenciosos son los que poseen mayor sabiduría, pero les resulta difícil hacer oír sus preocupaciones. Tómate tiempo para estar con la gente.

La mayoría de las personas desean saber que el grupo,

incluyendo a los líderes, valora su punto de vista. Si se sienten seguros de ésto, es mucho más probable que apoyen la decisión que tome el grupo, aunque no estén de acuerdo.

También debe haber una buena comunicación con respecto a la decisión que se tomará. No hay nada peor que sentirse obligado a tomar una decisión cuando no se posee la información adecuada o el tiempo suficiente para considerarla. La gente debería recibir toda la información necesaria para tomar la decisión y la guía previa debería explicarse profundamente.

Deberíamos darle tiempo a todos los que se encuentran involucrados, antes de pedirles que tomen una decisión. Generalmente aliento a los líderes y a los miembros de mayor influencia en un grupo a no hacer juicios de valores y a que no expresen sus opiniones personales acerca de una decisión hasta que se les haya dado a todos los que están involucrados el tiempo y la información necesarios.

Aquellas personas de poco hablar, deben poder expresar sus sentimientos sin temor a que los rechacen o los censuren. También es importante esperar el momento de oración luego del proceso de discusión. Cuando expresamos nuestras emociones, muchas veces abrimos el camino para poder orar acerca de una decisión. Algunos miembros del grupo pueden necesitar tiempo para compartir sus preocupaciones y para hacer sus preguntas en privado. Deben saber que se los amará y se los animará si comparten sus ansiedades más profundas. Esta clase de apertura y aceptación construye la confianza y le asegura a las personas que son más importantes que la decisión en sí misma. Establece la base para tomar una decisión en unidad, aún cuando no haya acuerdo. Como la unidad tiene que ver con una actitud del corazón es posible tomar una decisión aun cuando no todos estén de acuerdo acerca de los aspectos o detalles, pero sí existe una total unidad de corazones.

Mi padre tenía un refrán: «Puedes tomar dos gatos,

atarles las colas juntas y colgarles de una cuerda; tendrás una unión, ¡pero no tendrás unidad!» La unidad no surge simplemente porque se ponga a algunas personas juntas en el mismo lugar y al mismo tiempo. La unidad es una obra del Espíritu Santo, y debemos invitarlo a que él haga su obra en nuestros corazones. Tomemos la decisión de no perseguir la unidad en nuestras decisiones y relaciones, sino escuchar y obedecer su guía hasta que alcancemos la unidad en el Espíritu, en el vínculo del amor.

Capítulo 9

Los líderes también son humanos

Varias personas se quedaron después de la conferencia; algunos tenían preguntas, otros simplemente deseaban saludarme. Entre ellos se encontraba una joven que tenía una sombría expresión en el rostro.

—Mi nombre es Julia —comenzó diciendo—. ¡Simplemente deseo que sepa que no confío en usted!

La miré atentamente, tratando de comprender por qué estaría diciéndome algo tan sorprendente. ¿Me conocía de alguna parte? ¿Habría escuchado algún rumor acerca de mí? Tratando de hilar mis pensamientos, le pregunté:

—¿He dicho algo que la ha ofendido?

—No —contestó—, simplemente sentía que debía decirle que no confío en usted.

Ahora me encontraba verdaderamente confundido.

¿Cuál sería la causa para que dijera semejante cosa? Como comprobé más tarde, resultó claro que su hostilidad no estaba dirigida hacia mí personalmente, sino hacia todas las figuras de autoridad en general. Descubrí que tenía genuinas razones para su desconfianza. Un pastor dominante había utilizado el principio de la sumisión a la autoridad para sobrepasarse en su rol interfiriendo en su vida personal. Su concepto infantil de la autoridad también había estado teñido por un padre que la disciplinaba duramente en raptos de ira. Para asegurarse de que las figuras de autoridad no la lastimarían, tomó una actitud ofensiva. Había tomado el hábito de afrontar a los líderes espirituales como lo había hecho conmigo, utilizando las reacciones de ellos para justificar su propia opinión de que no se puede confiar en los líderes.

Julia, como tantos otros, tenía razones válidas para dudar de los líderes, pero se podría haber evitado la amargura y el resentimiento, si hubiera sabido que los líderes son seres humanos como los demás. Aunque las epístolas del Nuevo Testamento nos enseñan que los que se encuentran en autoridad deben ser hombres justos y maduros, no nos dicen que deban ser perfectos. Si ponemos a los líderes en un pedestal, tarde o temprano sufriremos una desilusión.

¿Qué debemos hacer cuando un líder nos desilusiona? ¿Debemos comenzar a juntar firmas para pedirle la renuncia? ¿Debemos asegurarnos de que todos sepan lo que ha hecho, o escribirle al obispo o a los ancianos antes de conocer todos los pormenores? Alguien dijo que la Iglesia es el único ejército que acuchilla a sus oficiales por la espalda, y todos lo hemos visto. Debemos ver la situación con calma; los problemas del liderazgo generalmente se agrandan desproporcionadamente en el calor del momento. Existe un momento para afrontar a un líder injusto, pero ¿hasta adónde podemos llegar sin «tocar al ungido del Señor»? ¿Debemos permanecer en silencio delante del pecado de un líder confiando que Dios trate con él a la brevedad? Estas preguntas deben contestarse si deseamos que la unidad se convierta en una realidad en nuestro grupo, en nuestra iglesia u organización.

Lo que se hace cuando un líder está equivocado, depende en gran medida de lo que entendemos por «equivocado». Un pastor obstinado que no está dispuesto a cambiar en un problema de personalidad, está equivocado de una manera muy diferente al que sustrae los fondos de la iglesia. Existe una diferencia importante entre negar la

resurrección de Cristo y discutir acerca del hablar en len-
guas. Debemos diferenciar entre aquellas cosas que nos
molestan simplemente porque violan nuestras preferencias
personales, y aquellas cosas que violan la verdad bíblica.
La manera en la que respondamos a un líder que está
equivocado, es vital para la unidad. Su error no nos excusa
para no reaccionar de una manera santa siguiendo los
principios bíblicos. ¡Dos equivocaciones no logran un
acierto!

Lamentablemente, algunos grupos han enfatizado tanto el concepto de sumisión al punto en que el miembro
promedio de la iglesia tiene temor de utilizar su sentido
común o su conciencia. No puede admitir, ni siquiera para
sí mismo, que su líder es falible. El discernir la debilidad
de una persona no es pecado; la paciencia, el perdón y la
disciplina correctiva no tienen significado a menos que se
nos permita ser conscientes los unos de las faltas de los
otros.

La Biblia nos enseña que solamente Dios es digno de
nuestra absoluta obediencia. La sumisión a los líderes
espirituales debe estar condicionada a nuestro derecho de
sostener los principios escriturales. Como la sumisión es
una actitud del corazón, es posible desobedecer a un líder
sumisamente. A la inversa, también es posible obedecer
teniendo sin embargo un corazón rebelde.

Algunos grupos enseñan que las personas comunes no
son lo suficientemente espirituales como para desafiar o
corregir a un líder. El orgullo está en la raíz de esta enseñanza, y como generalmente los líderes son quienes dan
esta enseñanza, se transforma en una manera a través de la
cual, los líderes inseguros evitan la responsabilidad. Se
transforma en un círculo vicioso. Solamente una persona
«espiritual» puede corregir a un líder, pero la persona
espiritual sabe que eso no es correcto. De acuerdo a esta
línea de razonamiento, si tratas de corregir a un líder, debes
estar equivocado y nadie debe escucharte porque no eres

espiritual. Resultado: un líder está fuera del alcance de la corrección.

La Biblia nos enseña que es el carácter y no la posición o el título, lo que califica a una persona para corregir a un líder. Gálatas 6.1 dice que aquellos que son espirituales deben restaurar a aquellos que han caído en pecado. Los que corrigen deben ser maduros y humildes. No dice nada acerca de la posición o del título.

También deberíamos tener mucho cuidado al citarnos las Escrituras en estas situaciones. Un líder extralimitado, generalmente tratará de esconderse detrás de versículos que se citan totalmente fuera de contexto. Los escritores de las epístolas no tenían la intención de que sus escritos se utilizaran como municiones que se le pueden arrojar a los demás. Se escribieron desde una cierta distancia, señalando varias situaciones que necesitaban corrección.

No creo que Pablo haya deseado que las esposas esparcieran copias de Efesios 5.25: «Maridos, amad a vuestras mujeres, así como Cristo amó a la iglesia, y se entregó a sí mismo por ella», entre las pertenencias de sus esposos. Ni tampoco hubiera deseado que los esposos trataran a sus esposas como a niños, utilizando el versículo: «Las casadas estén sujetas a sus propios maridos, como al Señor» como un justificativo (Efesios 5.22). Si Sally y yo nos citáramos las Escrituras acusándonos el uno al otro, estaríamos centrando nuestra atención en nuestros «derechos» y no en nuestras responsabilidades. La unidad se terminaría, y existiría muy poca posibilidad de que cada uno de nosotros cambiara para mejor.

Lo mismo sucede con la sumisión y la autoridad en la Iglesia. El énfasis que hace la Biblia con respecto a los líderes no es que enseñen a las personas a someterse sino a que sean pastores «de la grey de Dios que está entre vosotros, cuidando de ella, no por fuerza, sino voluntariamente; no por ganancia deshonesta, sino con ánimo pronto; no como teniendo señorío sobre los que están a vuestro

cuidado, sino siendo ejemplos de la grey» (1 Pedro 5.2-3).
Evidentemente, un líder debe enseñar toda la verdad con
respecto a este asunto, incluyendo el respeto y la sumisión;
pero no debería torcer este elemento para otorgarse derechos como líder. Más bien, debería poner su atención en
sus propias responsabilidades y obligaciones.

Principios bíblicos para responderles a los líderes cuando están equivocados

Todavía nos queda la pregunta: «¿Qué es exactamente lo
que debemos hacer cuando nos parece que un líder está
equivocado?» Los siguientes principios nos ayudarán a
responder esta pregunta:

1. Escudriña tu actitud

¿Estás reaccionando ante un dolor, una amargura o una
desilusión por algo que te han hecho a ti o a alguien cerca-
no a ti? ¿Estás enojado porque pensabas que un «hombre
de Dios» jamás debería hacer una cosa semejante? Si es
así, bien podrías empeorar las cosas involucrándote en la
situación. Dios no desea que el resentimiento infeste nuestros espíritus, por lo tanto, ten cuidado si no encuentras
compasión en tu corazón para un líder. Recuerda: «Y ante
todo, tened entre vosotros ferviente amor; porque el amor
cubrirá multitud de pecados» (1 Pedro 4.8).

El objetivo de Dios siempre es restaurar a los que han
caído. El es nuestro Redentor. Si alguien te ha herido,
puedes elegir entre aferrarte a ello y permitir que destruya
tu gozo, o seguir perdonando hasta obtener la victoria.
Cada vez que esa persona venga a tu mente, perdónala,
aunque sea cien veces por día (ver Mateo 18.21-22). Dios
sanará tu dolor y te dará un amor fresco por la persona.

2. Orar por el líder.

¿Estás dispuesto a pararte en la brecha e interceder por el líder? Dios puede utilizar tu oración como un agente que transforme su vida. Ora para que las circunstancias ayuden a esta persona a darse cuenta de la seriedad de lo que ha hecho y de lo que ello implica. Ora con humildad, esperando que Dios te de un corazón amoroso y misericordioso hacia tu líder.

Si el problema no es pecado sino un conflicto de personalidad, escoge recibir amor hacia él por fe. Pregúntale a Dios qué es lo que él desea que aprendas de esta situación, y que te revele las intenciones de tu corazón. ¿Cuántos de nosotros estamos preparados para orar diligentemente por alguien con el cual estamos en conflicto? Es tan fácil concentrarnos en cómo podemos tornar la situación a nuestro favor, o volvernos en contra de esa persona. Llenamos nuestra mente con detalles acerca de su debilidad, en lugar de pedirle a Dios que le fortalezca.

3. Asegúrate de que los hechos son correctos.

La Biblia nos advierte que no debemos juzgar antes de escuchar las dos campanas. «Al que responde palabra antes de oír, le es fatuidad y oprobio» (Proverbios 18.13), y: «Justo parece el primero que aboga por su causa; pero viene su adversario, y le descubre» (Proverbios 18.17). Evidentemente la tendencia a llegar a conclusiones prematuras es un mal muy viejo.

Los hijos de Israel tenían la orden de investigar un determinado asunto muy atentamente, antes de declarar un juicio, «...inquirirás, y buscarás y preguntarás con diligencia...» (Deuteronomio 13.12-15). Pablo le dice a Timoteo que no se deben levantar cargos contra un anciano sin tener dos o tres testigos (1 Timoteo 5.19).

Ten mucho cuidado con tomar partido en un asunto. Es

inmaduro sentir que debemos tomar una posición en cada asunto. No debemos permitir que los amigos u otras personas nos presionen a hacer algo que no nos parece bien. Es probable que Dios desee que permanezcamos neutrales y ayudemos a promover la reconciliación. «Bienaventurados los pacificadores, porque ellos serán llamados hijos de Dios» (Mateo 5.9).

4. No hay cambios, ora para afrontar a tu líder.

La Biblia nos enseña que debemos enfrentar a los que han pecado contra nosotros (Mateo 18.15-20). Sin embargo, debemos tener la suficiente sensibilidad como para saber cuándo y cómo hacerlo, de tal manera que prevenga la frustración y las heridas en ambas partes.

Hace muchos años atrás, herí seriamente a un compañero del liderazgo. Rápidamente me dirigí a él para arreglar las cosas, pero fríamente me apartó de sí. Seguí llamándole por teléfono, enviándole cartas y haciéndole más visitas, sin embargo, él seguía rehusándose a suavizar su actitud hacia mí. Técnicamente, me había perdonado, pero nuestra comunión no se había reestablecido.

Comencé a pensar que yo ya había hecho todo lo posible en aquella situación, y que el resto le correspondía a él. Sin embargo, mientras buscaba a Dios, me di cuenta de que no me había dirigido a él en una actitud de oración, con la correcta preparación de corazón. Yo no estaba lo suficientemente quebrantado con respecto al dolor y al malestar que le había causado. Yo esperaba que él sintiera la obligación de perdonarme con muy poco esfuerzo de mi parte. Continué orando diariamente por él, y pasaron varios meses antes de que sintiera que el Señor me dirigía para que me acercara a él. Lo llamé por teléfono, y no de muy buena gana accedió a tener una entrevista conmigo. Sin embargo, esta vez mi corazón estaba listo, y lloré mientras le pedía que me perdonara, confesándole abiertamente mi pecado.

El Señor me había traído a un punto en el que estaba dispuesto a hacer cualquier cosa que fuera necesaria para restaurar la relación.

Sentía que si no nos reconciliábamos esta vez, nuestra relación sufriría un daño permanente a causa de la falta de perdón. Cuando me arrodillé delante de él como una muestra de mi arrepentimiento, las lágrimas comenzaron a rodar por sus mejillas. Se acercó y me abrazó y juntos lloramos, oramos, reímos y clamamos. Qué gozo y qué alegría fue sentirnos totalmente restaurados y reunidos en nuestra relación.

Acercarse a alguien de esta manera, es una experiencia dura y humillante, especialmente si la persona es quien ha pecado contra nosotros. ¿Y qué sucede si la persona no responde? La respuesta a esto depende de la naturaleza del problema.

Si es un pecado serio (inmoralidad sexual, robo o errores doctrinales extremos) entonces, otros deben involucrarse. Si el líder está verdaderamente arrepentido, confesará sus pecados y hará todo lo que sea necesario para arreglar las cosas. Si no está arrepentido, entonces tú debes entrar en acción tratando de rectificar el asunto. Ve a un pastor o líder respetable que esté fuera de la situación y busca su consejo.

En situaciones en las que no se ha seguido este procedimiento, el problema puede salirse fuera de control. Las personas que no tienen nada que contribuir para mejorar la situación, resultan heridos y el nombre de Dios es deshonrado. Sin embargo, cuando estas situaciones se tratan de una manera santa, se resuelven rápidamente.

Varios años atrás conocí a un pastor que me relató la siguiente historia.

Me contó que la esposa del pastor que le había precedido, se había visto involucrada sexualmente con un hombre de la iglesia. Finalmente, se fueron juntos a otra ciudad cercana, para vergüenza del pastor y de toda la congregación. Por la proximidad de la ciudad y de las circunstancias, inevitablemente toda la iglesia pronto lo sabría. Sin embargo, aquí es donde la historia difiere de todas las demás.

En lugar de caer en el chisme y en las conversaciones de crítica con respecto a esta situación, la iglesia comenzó a orar. Los líderes de la iglesia se reunían regularmente con el pastor, y se ponían de acuerdo con él en oración, para que Dios restaurara a su esposa. Las mujeres de la iglesia comenzaron una cadena de oración de veinticuatro horas. Probablemente, lo que más demostró su amor fue que toda esta historia no se esparció por la ciudad, ni salió en los diarios locales. Solamente se hablaba de la situación lo necesario, mientras que continuamente se oraba.

Enviaron a una pequeña delegación de mujeres para que visitaran a la esposa del pastor y le comunicaran su amor y preocupación. La encontraron en una sucia habitación de hotel, y luego de rogarle reiteradas veces, ella accedió a acompañarlas. A su regreso, se organizó una reunión especial de las mujeres de la iglesia. En un comienzo, ella rechazó los esfuerzos iniciales de las mujeres de orar por ella, pero luego de alguna persistencia y de muchas lágrimas, ella se quebrantó y lloró clamando por el perdón de Dios y manifestando su deseo de volver a él. El amor de las mujeres de la iglesia, sus ruegos, sus oraciones, su comprensión y deseo de perdonar, finalmente conquistaron su corazón rebelde.

El pastor renunció a la iglesia para brindar más tiempo y atención a su descuidado matrimonio. Maravillosamente, se libraron de la vergüenza de un escándalo público. No se había «encubierto» el pecado, sino que se le había «cubierto», cubierto con amor.

Toma nota de los principios que se siguieron al tratar esta situación:

- La esposa del pastor recibió la disciplina de tener que pedir perdón en público. Sin embargo, la motivación de esta medida no fue el castigo, sino la restauración. Esto se hizo delante de las mujeres de la congregación, lo cual la libró de la agonía de hacerlo delante de toda la congregación. Santiago 5.19-20 habla del espíritu amoroso que siempre debe motivarnos al tratar con el fracaso de nuestro hermano o hermana.

- La situación fue atendida por aquellos que eran maduros en la iglesia, con paciencia y bondad (Gálatas 6.1-5).

- Se hizo por pasos, dándole todas las oportunidades a la hermana para que respondiera (Mateo 18.15-35).

- Las mujeres de la iglesia fueron a visitarla con el deseo de resolver el problema. El pastor también pasó mucho tiempo en oración escudriñando su alma con los ancianos, y finalmente accedió a promover la sanidad de la situación renunciando a su puesto.

Si nos dirigimos a nuestro líder y él no recibe lo que tenemos para compartirle, entonces tenemos tres posibilidades: volver con otra persona como testigo y agente reconciliatorio; esperar y creer que Dios traerá un cambio, o salir de debajo de su liderazgo abandonando el grupo.

La opción que no debemos elegir es quedarnos por allí chismeando, promoviendo la división y la rebelión contra la autoridad. Debemos disponernos a: «seguid la paz con todos, y la santidad, sin la cual nadie verá al Señor. Mirad bien, no sea que alguno deje de alcanzar la gracia de Dios; que brotando alguna raíz de amargura, os estorbe, y por ella muchos sean contaminados» (Hebreos 12.14-15). El chisme y la crítica pública nos destruirá a nosotros, no a ellos: «Hermanos, no os quejéis unos contra otros, para que no seáis condenados; he aquí, el juez está delante de la puerta. Hermanos míos, tomad como ejemplo de aflicción y de paciencia a los profetas...» (Santiago 5.9-10). En este versículo, la paciencia y el saber soportar el sufrimiento se encuentran en el contexto de nuestro comportamiento hacia nuestros hermanos, no de los incrédulos.

La decisión que se tome como la mejor, debe tomarse en una actitud de amor. Dios nos vindicará a su tiempo, si fuere necesario. «Si es posible, en cuanto dependa de vosotros, estad en paz con todos los hombres. No os venguéis vosotros mismos, amados míos, sino dejad lugar a la ira de Dios; porque escrito está: Mía es la venganza, yo pagaré, dice el Señor» (Romanos 12.18-19).

El rey David es un poderoso ejemplo de una persona que esperó el tiempo de Dios, en lugar de utilizar los métodos de su opresor para forzar un cambio. Cuando se le presentó la oportunidad de matar a Saúl, se rehusó a hacerlo, reconociendo que Saúl todavía era el ungido de Dios (1 Samuel 24.6). Al mismo tiempo, no dejó de creer que Dios le había prometido la corona, pero esperó que Dios trajera el cumplimiento de esta promesa.

Existe una diferencia entre pararnos delante de un líder que está equivocado, y ubicarnos en la peligrosa posición de encabezar una campaña en contra de él. Dios ha permitido que surja esta situación, y si nos movemos en nuestro propio entendimiento y fuerza, verdaderamente podemos obstaculizar sus planes mayores.

Personalmente, me siento extremadamente agradecido de que Dios sea tan paciente. He cometido muchos errores como líder: he herido a otros, he pasado por encima de sus sentimientos en mi impaciencia, e inclusive he manipulado a aquellos que han visto las cosas de manera diferente a como yo las veía. Tengo una inmensa deuda de gratitud para con quienes me han respondido de una manera santa y me han permitido seguir en la huella. Estoy especialmente agradecido a Loren Cunningham, Presidente de Juventud con una Misión, cuya confianza me ha permitido hacer cosas que yo pensaba que estaban fuera de mi alcance. Por sobre todas las cosas, estoy agradecido al Señor que me ha

sacudido el polvo tantas veces cuando he caído y me ha
colocado en el camino una y otra vez. Si tan sólo tuviéra-
mos este mismo amor y compromiso para con los otros, en
lugar de tratar duramente a las personas en sus pecados y
debilidades. Deberíamos seguir el ejemplo de Jesús: «No
quebrará la caña cascada, ni apagará el pábilo que humea-
re» (Isaías 42.3).

Capítulo 10

¿Realmente te importa?

Casi no podía creer a mis ojos (o en aquella ocasión a mis oídos). De pie frente a mí se encontraba un regordete abuelo de un metro y medio de altura, mascullando algo acerca de mi nombre.

—¿Tú eres Floyd McClung Jr.? —repitió. Le eché una mirada desde mi escritorio que se encontraba en una esquina de la biblioteca.

—Sí, yo soy —murmuré como respuesta. Estaba sorprendido por la andrajosa apariencia de este anciano, que vestía una raída chaqueta.

—Lo he estado buscando. Dios me ha llamado para que le sirva a usted —vaciló y luego esperó, sin saber qué era lo próximo que debía esperar—. Dios me ha llamado para que sea su compañero —concluyó diciendo.

Su nombre: Pop Jenkins

Su trabajo: Maestro de Escuela Dominical.

Edad: 72 años.

Su tarea en mi vida: Compañero

Suena extraño, ¿no es cierto? Casi excéntrico. Sin embargo, es verdad.

Yo tenía veinte años, me encontraba en el segundo año de mis estudios teológicos, y me sentía muy seguro de mí mismo. No me preguntes cómo supo mi nombre, nunca lo supe. Todo lo que sé es que Dios utilizó a este hombre para cambiar mi vida.

A partir de aquel extraño encuentro en la biblioteca, mi vida se entrelazó durante las siguientes semanas con la de este anciano «excéntrico». Finalmente culminó en mi primer viaje misionero.

Viajamos varios cientos de kilómetros hacia el sur, desde la casa de mis padres en el sur de California, hasta una pequeña población llamada San Felipe, en el Golfo de México.

Desde el momento que cerramos las puertas de mi viejo Plymouth gris, y nos dispusimos a viajar, me molestó una y otra vez con la misma pregunta.

«¿Realmente te importa?»

Al comienzo, parecía una novedad, pero luego comenzó a sonar serio y espiritual. Finalmente se tornó fastidioso. Más o menos cada diez minutos, la misma pregunta: «¿Te importan los necesitados? ¿Te importa que las personas se vayan al infierno? ¿Realmente te importa?

Era de día y un anciano caminaba por el camino «¿Te importa, Floyd?» Cuando dormíamos al costado del camino, mientras los mosquitos zumbaban en mis oídos, Pop Jenkins continuaba: «¿Realmente te importa?»

Cuestionaba todo: mis objetivos, mis valores, el dinero, los deportes, las motivaciones del ministerio, todo. «¿Deseas servir a Dios?» preguntó. «¿Por qué deseas servirle? ¿Realmente te importa la gente?»

Con toda tranquilidad desafió mis relaciones, mi sentido de seguridad, y lo más importante de todo, tocó el deseo de mi corazón de servir a Dios.

Permanecimos juntos en un pequeño cementerio en lo alto de una colina, mirando hacia abajo, adonde se encontraba la población de San Felipe.

—Cruces cristianas —dijo, señalando las tumbas—. Gente religiosa que muere sin Jesús. Esta es la tierra de las cruces no cristianas. ¿Te preocupa, Floyd?

Visitamos una iglesia y contemplamos a cientos de personas muy pobres mientras se inclinaban delante de la estatua de un sacerdote muerto. Sin condenarlos, las lágrimas pronto cayeron por sus mejillas. Se volvió hacia mí y una vez más me preguntó: «Floyd, ¿realmente te interesa lo que le sucede a esta gente?»

Algo comenzó a suceder en mi interior. Me puse a llorar mientras lo observaba abrazando a un hombre ebrio en un polvoriento camino. Mientras llorábamos y orábamos, yo observaba. Observé a un hombre al cual le importaba. Me di cuenta de que aquí había un hombre motivado por el amor de Cristo.

Se preocupó lo suficiente como para desafiarme, lo suficiente como para pasar tiempo conmigo, lo suficiente como para escuchar mis sueños.

Pasamos muchas horas juntos y nos hicimos amigos. Ahora, la irritación que sentía en un principio frente a sus constantes preguntas me parecía tan pequeña. Aquí había un hombre a quien le importaban los demás. Vivió toda su vida para otros. Su compasión tocó a los que le rodeaban, transformó sus vidas. Las personas no podían seguir siendo las mismas cuando Pop Jenkins se acercaba.

El viaje de regreso a casa fue una jornada tranquila de dos días, manejando desde San Felipe. Estaba cansado y sucio. Había polvo adondequiera. Pero yo había cambiado. Un profundo anhelo y un doloroso deseo se había liberado dentro de mí. Desesperadamente deseaba lo que Pop Jenkins tenía. El se preocupaba por la gente. Tenía tiempo para los demás. Su amor por la gente tenía una intensidad que ungía a todo aquel que tuviera una fe superficial. Era sencillo, serio; se preocupaba, amaba a la gente.

Aquel viaje a Méjico fue mi primer viaje a otro país, mi primer viaje misionero. Desde entonces he viajado por todos los continentes y he visitado más de cien naciones. Aunque aquel viaje con Pop Jenkins fue el más corto, y probablemente el más extraño, fue el más memorable. Me marcó para el resto de mi vida.

El amor es lo que cambiará al mundo. Es importante que nos dediquemos al servicio a Dios, pero el amor es lo que revelará cuán genuina es nuestra dedicación. Es absolutamente esencial que oremos, pero el amor será lo que ponga pies a nuestra oración. Debemos estar dispuestos a formar parte de las respuestas a nuestras oraciones. Es imperativo que experimentemos un avivamiento en nuestra nación, pero el avivamiento sin amor no es más que una experiencia aparente. Solamente un avivamiento de amor transformará a la nación.

El amor cambia a las personas, es el poder más grande del mundo. ¿Estás listo a dejar tu vida por otros? ¿Estás preparado para poner tus palabras en acción? ¿Eres lo suficientemente serio como para hacer lo que cantas los domingos? ¿Estás dispuesto a hacerlo sólo por amor? ¿Amor que confía? ¿Amor que acepta? ¿Amor que sana? ¿Amor que perdona? ¿Amor que alienta?

¿Realmente te importa?

APÉNDICE

Unidad entre la iglesia local y las otras estructuras

E xisten dos corrientes en la historia de la iglesia. La primera tiene que ver con la predicación del Evangelio a toda tribu y nación (Mateo 28.18-20); la segunda tiene que ver con la madurez de los santos para ser sal y luz en un mundo caído (Efesios 3 y 4).

En algunos momentos estas dos corrientes se han unido sin tensiones; otras veces han mostrado poco o nada de responsabilidad o respeto de la una hacia la otra.

Aunque se las llame con diferentes nombres («iglesia local» e «iglesia ambulante», «sociedad misionera» y «denominación», «ministerio apostólico» y «asamblea local») la tensión es la misma, y es universal.

Mientras que la iglesia local está fuertemente entregada a ver que sus miembros se establezcan y tomen posiciones de liderazgo y responsabilidad, las organizaciones misioneras están igualmente entregadas a desafiar a esos mismos santos con el llamado de Dios de ir y predicar el evangelio a toda criatura.

Esta tensión natural se eleva, en algunos círculos, ya que la iglesia local enseña que esa es la estructura ideal y la única expresión bíblica verdadera del Cuerpo de Cristo.

Se dice que cuando la iglesia local cumple su tarea, la necesidad de una sociedad misionera no existe.

En algunas corrientes de la renovación carismática, esta enseñanza ha ido tan lejos como para decir que en cada ciudad existe una iglesia ungida, alrededor de la cual, eventualmente se unirán las demás, convirtiéndose de alguna manera en una extensión de aquel cuerpo «ungido».

Otros creen en las misiones, pero están fuertemente convencidos que toda la actividad misionera «solamente» debería hacerse con el auspicio de la iglesia local. Les parece que el modelo bíblico es el de levantar equipos apostólicos, teniendo de esta manera ministerios bien probados. Estos equipos deberán estar sujetos a la autoridad de la iglesia local, sin importar cuán lejos vayan o cuán especializada sea su tarea.

En la imagen opuesta parecería existir una falta de responsabilidad, de parte de algunas sociedades misioneras. La tendencia es sentir que no tienen necesidad de referirse a la iglesia local; si alguien quiere unirse a la misión, eso queda entre él y el Señor.

Estas organizaciones misioneras creen que el miembro de la iglesia local solamente es responsable delante de Dios por lo que hace. Aunque tenga que informarle al pastor acerca de sus intenciones, no necesita someterse totalmente a él, especialmente si el pastor está en contra de las organizaciones misioneras. Se tiende a considerar que la iglesia local es un lugar para reclutar gente y para conseguir dinero. Desde este punto de vista, la iglesia local meramente debería entrenar a la gente, enviarles, apoyarles y recibirles de vuelta cuando se encuentren cansados o necesitados. No existe una relación real entre los líderes misioneros y el pastor de la iglesia local. Muchos pastores sienten que virtualmente no tienen ni voz ni voto en cuanto a los que son reclutados de su iglesia.

Examinando la tensión

Parte de la tensión histórica entre la iglesia local y la sociedad misionera tiene que ver en que, por un lado, la iglesia local no desea que todos sus recursos económicos queden devastados. Por el otro lado, las sociedades misioneras no desean perder autonomía estando totalmente bajo la autoridad de la iglesia local.

El propósito de este apéndice es apelar a la iglesia y a los líderes misioneros, y a todos los laicos, a que reconozcan los peligros de permitir que esta tensión continúe. Debemos encarar los problemas de una manera abierta y humilde. Nunca antes la iglesia ha tenido mayores oportunidades, pero un conflicto sin resolver entre estas dos corrientes minará nuestros esfuerzos para responder a las oportunidades que tenemos de testificar al mundo.

Nos necesitamos. Dios ha creado la iglesia tanto para alimentar a los creyentes locales como para alcanzar al mundo perdido. Las iglesias locales y los movimientos misioneros que comparten un espíritu de mutua cooperación, podrán participar en uno de los adelantos más grandes en la historia de la iglesia. Estamos a las puertas de un gran crecimiento de la iglesia, y Dios nos está preparando para que seamos una voz profética a las naciones. Este es el siglo del Espíritu Santo, y este siglo aún no ha terminado, lo mejor está por venir. Creo que el evangelismo poderoso está por rejuvenecer a la iglesia en maneras que jamás pensamos que fueran posibles.

Es absolutamente esencial que actuemos juntos si deseamos ver que este crecimiento tenga lugar. Debemos hacer varios ajustes importantes en nuestras actitudes y teologías para permitir que la iglesia sea la poderosa fuerza unida que Dios pretende que sea.

(1) Debemos renunciar a todas las actitudes de independencia y orgullo. Cualquier actitud que nos sugiera que nuestro grupo o iglesia no necesita al resto del Cuerpo de Cristo, o que nos haga sentir que somos precursores del

Reino de Dios en nosotros mismos, o que solamente nosotros estamos en el centro de lo que Dios está haciendo, es
orgullo. Dios está obrando a través de muchos grupos
diferentes, y a través de muchas estructuras.

Cualquier respuesta hacia otros cristianos que no pro-
mueva la unidad, por más equivocados que nos parezcan,
es pecado. Cuando las organizaciones misioneras y evangelísticas actúan independientemente de las iglesias locales
establecidas, lo único que hacen es reafirmar los peores
temores de los líderes de esas iglesias. No puedes solucionar un error con otro error.

(2) Necesitamos desarrollar una dinámica eclesiológi-
ca mucho más positiva y dinámica (el estudio de la estructura de la iglesia). Si nuestra visión de la iglesia es demasiado exclusiva, ignoraremos o inclusive negaremos la
bendición de Dios en muchas estructuras fuera de la iglesia
local. Si nuestra visión de la iglesia local es negativa, nos
faltará amor y entusiasmo con respecto a lo que Dios está
haciendo en una ciudad en particular.

¡Amo a la iglesia! ¡Y Dios también ama a la iglesia! Es
viva, dinámica, creciente y poderosa. La iglesia es la obra
de Dios, en todas sus formas y en todos sus ministerios.

La iglesia es el vino, y las estructuras eclesiásticas son
los odres. Aunque los odres cambien, el vino no cambia.
Aunque las estructuras de la iglesia cambien de acuerdo a
la cultura, a los dones de los hombres y a los que Dios hace
en particular en una nación o grupo, el hecho de que
personas redimidas conformen la comunidad de Dios, nunca cambia.

Dios no es un Dios de métodos o fórmulas, restringido
a ciertas formas de trabajo. Mientras que ha utilizado a la
Iglesia Anglicana en Singapur (cada miembro ha experimentado una renovación radical), en cierta nación del Medio Oriente, él ha utilizado un hospital misión. El está
utilizando equipos de traducción como la llave para el
avivamiento en algunas naciones de Asia, y al mismo

tiempo está utilizando grupos de oración para tocar a la ciudad capital de una gran nación occidental. Lo que resulta en un lugar, puede no resultar en otro. El Espíritu Santo es como un viento que no puede contenerse en ningún molde humano. La iglesia es tan dinámica, que no puede ser controlada por la teología de ningún grupo.

Los movimientos misioneros tales como Cruzadas para Cristo, Juventud con una Misión, y los Traductores de Wycliffe, han experimentado un gran crecimiento y una gran bendición en estas dos décadas pasadas. Entre estos tres grupos, en 1985 solamente se movilizaron 73 000 trabajadores a medio tiempo y tiempo completo, y a través de sus ministerios, cerca de 2 millones de personas indicaron que deseaban aceptar a Jesús como Señor y Salvador. En Juventud con una Misión, se están estableciendo nuevas iglesias entre grupos de personas no alcanzados, en un promedio de una por día. Juventud con una Misión entra cada tres semanas a una nueva nación, con un trabajo permanente. ¡Dios ha sido tan bueno!

Es importante reconocer la bendición en estos grupos, es la manera en la que Dios los recomienda a la iglesia. Pero quienes estamos en organizaciones misioneras, también debemos reconocer nuestra necesidad de iglesias locales.

Como líder de un movimiento misionero, es mi deseo que apoyemos totalmente a las iglesias locales. Deseo servir a las iglesias locales y deseo ayudarles a que sean poderosas, crecientes como lo desean sus pastores. También deseo tener un compromiso con esas iglesias. Creo que al elegir esta actitud, como esta se refleja en las acciones de nuestra misión, puedo ayudar a romper las barreras que nos separan.

(3) Para que seamos la fuerza unida que Dios desea, tanto la iglesia local como las organizaciones misioneras deben aceptar sus limitaciones y la relación complementaria que Dios desea que tengan unos con otros.

Las iglesias locales son mejores equipando a los nue-

vos creyentes y alimentándoles para que sirvan como sal y
luz en la sociedad. Y las organizaciones misioneras saben
cómo entrenar a las personas para servir en otras culturas.
Aceptando nuestras limitaciones y la dependencia que debemos tener unos de otros, podremos inspirarnos y colmar-
nos mutuamente.

Cada dimensión de la iglesia (tanto local como misionera) tiene un llamado particular. La realización de estos
llamados, crea un ciclo de actividades interdependientes y
de bendición mutua. Un equipo misionero llega a un grupo
de personas a quienes no las ha alcanzado el evangelio, los
gana para Cristo y comienza una nueva comunidad. Esta
nueva comunidad, a su tiempo, envía a otro equipo misionero que lleva el evangelio trayendo como resultado nueva
vida a la iglesia, y así continúa.

En muchas situaciones necesitamos equipos misioneros que no comiencen nuevas iglesias sino que trabajen
dentro de las iglesias establecidas trayendo renovación.
Mientras preparan a los nuevos cristianos comprometidos
a compartir su fe con otros, están cumpliendo con la Gran
Comisión en la misma manera que si hubiesen comenzado
una nueva iglesia.

(4) Las iglesias locales no deben ver la Gran Comisión
como un agregado al programa de la iglesia. Debe ser
programa de la iglesia. No es una opción más, sino que es
la fuerza motriz y la visión central de la iglesia.

¿De qué manera, entonces, afecta la Gran Comisión en
la relación entre la iglesia local y la sociedad misionera? Si
la iglesia local no ve a la Gran Comisión como el centro de
todas sus actividades, entonces estará en constante lucha
con aquellos que lo hacen. Estas personas se sentirán divididas entre el compromiso para con la iglesia local y para
con las misiones. Pero si a la iglesia local la consume el
deseo de evangelizar al mundo, no habrá ocasión para que
sus miembros sientan que su lealtad se encuentra dividida.

Por lo tanto, las misiones son una cuestión de llamado,

y de tiempo para poner a prueba ese llamado. Si una persona se siente llamada al servicio misionero, es razonable esperar que sea activa en las actividades evangelísticas de la iglesia local. Si la iglesia no provee estas actividades, estará invitando a una crisis de lealtad. (Esto es especialmente cierto cuando se trata de personas jóvenes). Sin embargo, no deberíamos considerar estas actividades como medios para «retener» más personas en nuestra iglesia. La iglesia debería abrazar gozosamente la tarea de entrenar de la mejor manera posible para ir a otras ciudades y a otras tierras. Retener a la gente es a la larga sinónimo de perderles.

¿Por qué no desarrollar un programa positivo y bien pensado que desarrolle aquellas cualidades que se necesitan para la obra misionera, en lugar de obligar a la gente a sentirse como rebeldes por desear salir en cualquier forma de servicio fuera de la iglesia local? Una iglesia con esta generosidad de espíritu y con esta amplitud de visión siempre estará llena de gente nueva, porque Dios puede confiárselos a su cuidado. La iglesia debería ver la obediencia a la Gran Comisión como una extensión de su propia salud como cuerpo. En verdad, una iglesia no puede considerarse verdaderamente renovada o restaurada si no tiene esta visión de la Gran Comisión.

(5) Las iglesias locales y las organizaciones misioneras deberían desarrollar políticas bien pensadas de cómo relacionarse unas con otras y qué deberían esperar las unas de las otras. Si establecemos comisiones misioneras o si señalamos a una persona en particular para que sea responsable por las misiones en la iglesia local, estaremos ayudando a canalizar a aquellos que desean servir. La iglesia que no crea misiones, en realidad no tiene futuro. El futuro de la iglesia y del mundo es amar a todo el mundo con el amor de Dios. Amar al mundo, en esta manera sacrificial, es absolutamente esencial si deseamos ser instrumentos en las manos de Dios para un cambio.

Para más información acerca de cómo establecer una comisión de misiones en la iglesia local, por favor escriba a la siguiente dirección:

Youth With a Mission
Attn: Personnel Department
Prins Hendrikkade 50
1012 AC Amsterdam
The Netherlands